Das Buch

Jeder Deutsche kennt Max und Moritz – und auch als Export-Artikel sind die beiden klassischen Tunichtgute erfolgreich. Aber erst mit diesem Buch werden sie zum völkerverbindenden Ereignis: Bei den Zeichnungen stehen sowohl die deutschen wie auch die entsprechenden englischen, französischen, spanischen, italienischen und lateinischen Verse.

Auch einem Leser, der nur bescheidene Kenntnisse einer einzigen dieser Sprachen hat, wird das Buch Spaß machen. Erst recht jedem, der sich mit mehreren Sprachen beschäftigt: Er findet hier gebildetes Vergnügen und anregende Belehrung.

Der Autor

Wilhelm Busch, 1832–1908, ist, wie jedermann weiß, der Schöpfer noch vieler anderer volkstümlicher Bildergeschichten (und insofern einer der Väter der Comic Strips). Nicht ganz so bekannt ist er mit seinen ernsteren Versen, deren Skepsis er gütig in Witz und deren Melancholie er weise in Heiterkeit verpackt hat. Kaum genug gewürdigt ist Wilhelm Busch, dessen Zeichnungen so weit-berühmt und viel-bewundert sind, als Maler. Seine besten Bilder darf man neben die von Lenbach und Liebermann stellen.

WILHELM BUSCH

MAX UND MORITZ POLYGLOTT

Die Zeichnungen und der deutsche Text
mit Übersetzungen ins Englische von Walter W. Arndt,
ins Französische von Jean Amsler,
ins Spanische von Víctor Canicio,
ins Italienische von Giorgio Caproni
und ins Lateinische von Gotthold Adalbert Merten
sowie mit Nachwort und Bibliographie
herausgegeben von Manfred Görlach

Deutscher Taschenbuch Verlag

Für Tobias und Benjamin
For Toby and Benny
Pour Tobias et Benjamin
Para Tobías y Benjamín
Per Tobias e Benjamino
Tobiae Benjaminoque

Originalausgabe
11. Auflage Juli 1992
© 1982 Deutscher Taschenbuch Verlag GmbH & Co. KG, München
Einzelnachweise in der Bibliographie Seite 160 ff.
Redaktion Langewiesche-Brandt
Umschlag: Celestino Piatti & Wilhelm Busch
Gesamtherstellung: Kösel, Kempten
ISBN 3-423-10026-5. Printed in Germany

Eine Bubengeschichte in sieben Streichen

A story of two rascals in seven tricks

Histoire de garnements en sept farces

Una historieta en siete travesuras

Storiella malandrina in sette baie

Facinora puerilia septem dolis fraudibusque peracta

VORWORT

Ach, was muß man oft von bösen
Kindern hören oder lesen!
Wie zum Beispiel hier von diesen,
Welche Max und Moritz hießen,
Die, anstatt durch weise Lehren
Sich zum Guten zu bekehren,
Oftmals noch darüber lachten
Und sich heimlich lustig machten.
Ja, zur Übeltätigkeit,
Ja, dazu ist man bereit!
Menschen necken, Tiere quälen;
Äpfel, Birnen, Zwetschen stehlen –
Das ist freilich angenehmer
Und dazu auch viel bequemer,
Als in Kirche oder Schule
Festzusitzen auf dem Stuhle.
Aber wehe, wehe, wehe!
Wenn ich auf das Ende sehe!!
Ach, das war ein schlimmes Ding,
Wie es Max und Moritz ging.
Drum ist hier, was sie getrieben,
Abgemalt und aufgeschrieben.

PREFACE

Ah, the wickedness one sees
Or is told of such as these,
Namely Max and Moritz; there!
Look at the disgraceful pair!
Who, so far from gladly reaching
For the boons of moral teaching,
Chose those very rules to flout
And in secret laugh about.
But designs of malefaction
Find them keen on instant action!
Teasing folk, tormenting beasts,
Stealing fruit for lawless feasts
Are more fun, as one can tell,
And less troublesome as well,
Than to sit through class or sermon,
Never fidgeting or squirming.
Looking at the sequel, though:
Woe, I say, and double woe!!
How it all at last came out
Chills the heart to think about.
That's why all the tricks they played
Are retold here and portrayed.

AVANT-PROPOS

Que n'entend-on dire à tous vents
A propos de vilains enfants !
Par exemple Max et Maurice
Qui, nonobstant le bénéfice
D'un sage enseignement, n'ont pu
Se convertir à la vertu,
Mais bien souvent se trouvent drôles
D'en rire en haussant les épaules.
Oui, pour n'importe quel méfait,
L'un comme l'autre est toujours prêt !
Moquer les gens, piller les biens,
Tracasser les chats ou les chiens
Est à coup sûr plus amusant
Et de surcroît plus reposant
Que d'aller se morfondre en chœur
Chez le régent ou le pasteur.
Mais hélas ! Au bout du chemin,
Il faut considérer la fin !
Ah ! La funeste destinée
Qui sur tous deux s'est acharnée !
C'est pourquoi ce qu'ils ont osé
Dans cet ouvrage est exposé.

PRÓLOGO

¡Ay, los niños revoltosos
suelen ser los más famosos!
Max y Móritz, por ejemplo:
dos pícaros como un templo.
Nunca quisieron ser buenos,
ni oír consejos ajenos,
de educarlos no hubo modo,
se burlaban, sí, de todo.
¡Una pareja infernal,
dispuesta a sembrar el mal!
Atormentar a las ranas,
robar peras y manzanas,
hacer rabiar al sufrido –
es mucho más divertido
que estarse quieto en la escuela
o ir a misa con la abuela.
¡Ya os llegará la hora aciaga,
que el que la hace, la paga!
Y este binomio terrible,
tuvo un final previsible.
Por eso y para escarmiento,
sus hazañas pinto y cuento.

PROLOGO

Di ragazzi scriteriati,
eh, a dozzine ne ho incontrati...
Pippo e Peppo, per esempio,
che del senno han fatto scempio.
Fra una beffa e un bieco tiro,
sempre il bene han preso in giro;
e oggi Tizio, doman Caio
– dalla vedova al fornaio –
tutti l'hanno, nel paese,
imparato a proprie spese.
Fabbricare una tagliola
marinando chiesa e scuola,
o rubar polli e conigli
senza udir buoni consigli,
ai due è parso più piacevole
d'ogni azione convenevole.
Ma alla fine, ahi che mazzata!
Ahi ahi ahi, se l'han pagata!!
Perché chiara la ragione
veda ognun della lezione,
ciò che i birbi han combinato
ho qui scritto e disegnato.

PRAEFATIO

Heu funestam iuventutem!
Nullam video virtutem
Nunc in nostris liberis,
Nullam etiam in his.
Max et Moritz vix puniti,
Poenae cito iam obliti
Omnes bonos irridebant
Et ludibrio habebant,
Quin ad maleficia
Diriguntur studia!
Homines ludificantes,
Bestias vero cruciantes,
Poma, pruna defurantes,
Omnia loca pervagantes
Magno gaudio utuntur;
Instructione non fruuntur.
Sed «vae, vae, vae» nos clamamus,
Exitum si iam spectamus!!
Quanta sit peccati vis,
Nunc his imagunculis
Et his verbis demonstrabo
Virtutemque adiuvabo.

ERSTER STREICH

FIRST TRICK

FARCE UNIEME

PRIMERA TRAVESURA

BAIA PRIMA

DOLUS PRIMUS

Mancher gibt sich viele Müh
Mit dem lieben Federvieh ;
Einesteils der Eier wegen,
Welche diese Vögel legen,
Zweitens : Weil man dann und wann
Einen Braten essen kann ;
Drittens aber nimmt man auch
Ihre Federn zum Gebrauch
In die Kissen und die Pfühle,
Denn man liegt nicht gerne kühle.

Many women labor hard
Caring for a chicken yard.
Firstly, for the eggs supplied
By the worthy fowl inside.
Secondly, because a hen
Means fried chicken now and then.
Third, because their feather fluff
Is of value, too, to stuff
Squabs or pillows for one's head
(No one liking drafts in bed).

Il en est plus d'un qui travaille
Au bien de sa chère volaille ;
C'est d'abord à cause des œufs
Que ces animaux font sous eux ;
Secundo, c'est qu'à l'occasion
On s'en nourrit après coction ;
Tertio, parce que de leur bourre
On fait la plume dont on fourre
La courtepointe et le plumeau
Qui, la nuit, vous tiennent au chaud.

A las aves de corral
se las mima, en general:
el huevo de la gallina
es el rey de la cocina,
y el que menos corre, vuela,
por un pollo a la cazuela;
las plumas, para acabar,
se pueden utilizar
de relleno en los colchones,
almohadillas y edredones.

Quante brighe e che daffare,
se due polli vuoi allevare!
Ma la pena è ripagata:
uova sempre di giornata
e magari – sotto costo –
ti ci scappa anche l'arrosto.
Eppoi, piume per cuscini
da scaldar grandi e piccini:
ché a nessuno fa piacere
trovar freddo l'origliere.

Pabulatio gallinarum
Est voluptas feminarum.
Cur? – Ut ova producantur,
Quae cottidie nascantur,
Et quod avium est caro
Nobis usui non raro,
Et quod plumae consumuntur,
Quae in lectos farciuntur.
Nocent enim frigora
Nobis hiemalia.

Seht, da ist die Witwe Bolte,
Die das auch nicht gerne wollte.

Take Frau Bolte, here, a granny
Hating drafts as much as any.

Voyez la veuve Turlandu
Qui n'aimait pas le froid non plus.

Aquí está la viuda Blume,
que de frío se consume.

Tantomeno – lo san tutti –
alla vedova Cornutti.

Ecce Bolte vidua
Caloris amantissima.

Ihrer Hühner waren drei
Und ein stolzer Hahn dabei.
Max und Moritz dachten nun:
Was ist hier jetzt wohl zu tun?

In her yard three chickens dwell
And a lordly cock as well.
With this state of things, what ought
One to do? the rascals thought.

Elle eut trois poules pour sa part;
Son coq était un fier gaillard.
Or Max et Maurice balancent:
Que faut-il faire en l'occurrence?

Estas son sus tres gallinas
y un gallo de Filipinas.
Max y Móritz, al acecho,
del dicho pasan al hecho.

Tre galline e un fier galletto
sono tutto il suo diletto.
Pippo e Peppo pensan: «Qua,
quale scherzo or le si fa?».

Quae gallinas tres alebat;
Gallus clarus has regebat.
Max et Moritz haec viderunt,
«Quid faciamus?» quaesiverunt.

Ganz geschwinde, eins, zwei, drei,
Schneiden sie sich Brot entzwei,
In vier Teile, jedes Stück
Wie ein kleiner Finger dick.
Diese binden sie an Fäden,
Übers Kreuz, ein Stück an jeden,
Und verlegen sie genau
In den Hof der guten Frau.

Why not get a heel of bread
(Carried out as soon as said),
Cut four equal pieces, quick,
Each a little finger thick ;
These one joins with sewing thread
Length- and crosswise (one per head)
And lays out in hopes of fun
In the widow's chicken run.

Prenant un morceau de pain bis
Qu'ils coupent en quatre petits ;
Ils attachent chacun des bouts
Gros comme un doigt et pas trop mous
A l'extrémité de ficelles
Composant une croix entre elles
Et transportent ce piège infâme
Dans la cour de la brave femme.

Con un pedazo de pan
fraguan un astuto plan :
burla, burlando, los mozos,
lo parten en cuatro trozos
y los atan luego en cruz,
veloces como la luz.
La pareja va y los deja
en el patio de la vieja.

Due legacci posti in croce
serviranno al tiro atroce,
ai cui capi, a guisa d'esca,
un brincel di pan s'innesca.
Della casa vedovile,
già il tranello è nel cortile ;
già il galletto l'ha adocchiato
e: «Qui ! qui !» schicchireggiato,

Statim furtum praeparatur.
Cito panis dissecatur
Quattuor in particulas
Digitis simillimas.
Per transversum decussantur
Atque filis copulantur.
Tum in spatio areae
Clam ponuntur feminae.

Kaum hat dies der Hahn gesehen,
Fängt er auch schon an zu krähen:
«Kikeriki! Kikikerikih!!»
Tak, tak, tak! – da kommen sie.

Granny's rooster at the sight
Starts to crow with all his might:
«Cock-a-doodle-doo! A crumb!!»
Pitter, patter, here they come.

A peine le coq l'a-t-il vu
Qu'il lance un appel inpromptu:
«Cocorico! Cocorico!»
Poules d'accourir illico.

Cuando los divisa el gallo,
canta y convoca al serrallo:
«¡Por allá, no, por aquí,
tac, tac, tac, quiquiriquí!»

le galline, niente in forse,
al richiamo sono accorse.
Tac tac tà, in quattro beccate
vengon l'esche trangugiate.

Gallus cibum aspicit,
Magna voce cecinit.
Quod gallinae audiunt.
Cito, cito veniunt.

Hahn und Hühner schlucken munter
Jedes ein Stück Brot hinunter;

Hens and rooster, when in reach,
Peck and swallow one bit each.

Tous quatre gaiement se sustentent
De cette aubaine qui les tente.

Como el pan es de su agrado,
se lo tragan de un bocado;

Ma ora hai voglia di tirare!
Non c'è verso di scappare.

Currunt, currunt magna vi,
Edunt rostro agili.

Aber als sie sich besinnen,
Konnte keines recht von hinnen.

But when sense resumes its sway,
None can rightly get away.

Mais en retrouvant leurs esprits
Tous les quatre se trouvent pris.

y a la hora de marcharse,
ya no hay forma de soltarse.

Strappa ognuno in senso opposto,
e s'inchiodano sul posto;

Sed post cenam sentiunt:
«Fila nos impediunt».

In die Kreuz und in die Quer
Reißen sie sich hin und her,

Right and left and rear and fore,
They conduct a tug of war,

C'est en vain qu'à hue et qu'à dia
Ils tiraillent deci delà

Una tira, el otro afloja,
sin encontrar vuelta de hoja.

finché, tutti e quattro pazzi,
fra svolazzi e gran starnazzi,

Exercent in omnes partes
Liberandi vanas artes.

Flattern auf und in die Höh,
Ach herrje, herrjemine!

Flutter up into the air,
What a desperate affair!

Et prennent leur vol vers les cieux.
Ah! Jésus Marie! Ah! Bon Dieu!

Alza el vuelo el gallinero,
con singular desespero,

ad un ramo, penzoloni,
restan presi i bietoloni.

Et postremo volitantes,
Octo alas agitantes

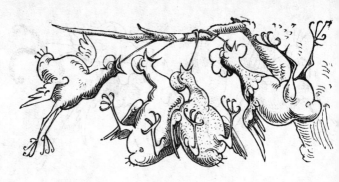

Ach, sie bleiben an dem langen
Dürren Ast des Baumes hangen.
Und ihr Hals wird lang und länger,
Ihr Gesang wird bang und bänger,

Gracious me, all tangled now
And suspended from a bough!
Their laments grow keen and keener,
And their gullets lean and leaner;

Hélas! Voici que l'arbre sec
Les retient pendus par le bec
Et, tandis que leur col s'étire,
Leur chant proclame leur martyre.

hasta que, desventurados,
quedan de un árbol colgados,
cacareando a degüello,
mientras les resiste el cuello.

Più s'allungano i lor colli,
più la voce manca ai polli,
e – la morte mentre arriva
a sbrigar la comitiva –

Paulo altius tolluntur,
Ramo autem vinciuntur
Fiunt fauces longiores,
Magis anxii clamores.

Jedes legt noch schnell ein Ei,
Und dann kommt der Tod herbei.

One last egg is laid apiece,
Then comes death and brings release.

Chacun d'eux lâche un œuf encor,
Puis instamment survient la mort.

Aún ponen huevos, por suerte,
y se los lleva la muerte.

l'ultim'uovo, poverine,
mollan giù le tre galline.

Ova fiunt quattuor –
Tum torpescit omne cor.

Witwe Bolte in der Kammer,
Hört im Bette diesen Jammer;

Widow Bolte from her bed
Hears the goings-on with dread.

De sa chambre, la Turlandu,
Dans son lit, a tout entendu.

La viuda Blume, su ama,
los oye desde la cama.

Nel suo letto la Cornutti
ha sentore di quei lutti;

Bolte vidua experrecta,
Curis maximis affecta

Ahnungsvoll tritt sie heraus:
Ach, was war das für ein Graus!

She steps out in nameless fright
Oh, the horror of the sight!

Elle sort de son habitacle,
Inquiète... Ah! L'affreux spectacle!

Presintiendo lo peor,
sale de casa, ¡ay que horror!

e giù scesa, un serpe in petto,
del misfatto ora è al cospetto.

Intrat nunc in aream
Territa. – Non credit iam!

«Fließet aus dem Aug, ihr Tränen!
All mein Hoffen, all mein Sehnen,
Meines Lebens schönster Traum
Hängt an diesem Apfelbaum!»

«Flow, my tears, then, scoring, burning,
All my comfort, hope, and yearning,
All I dreamt might come to be
Dangles from this apple tree!»

«Pleurez, mes yeux; coulez, mes larmes!
L'objet de mes tendres alarmes,
Le rêve de mon existence
Qui pend à cet arbre-potence!»

«¡Ojos que lo veis, llorad,
volad nostalgias, volad!
¡Mis sueños penden en vano,
de la rama de un manzano!»

Quale orrore! «Oh Sant'Iddio!
I miei beni – il sogno mio! –
ecco qua, spietato cielo,
impiccati a questo melo!»

Sed re vera cognita
Lacrimavit femina:
«Hic est finis omnium;
Vale, dulce somnium!»

Tiefbetrübt und sorgenschwer
Kriegt sie jetzt das Messer her,
Nimmt die Toten von den Strängen,
Daß sie so nicht länger hängen,
Und mit stummem Trauerblick
Kehrt sie in ihr Haus zurück.

Sorrow-stricken, bowed by gloom,
She has reached the place of doom,
Cuts the victims off their strings,
Lest they hang there, slack of wings,
And, despair in gait and mien,
Bears the tragic burden in.

Triste jusques au fond de l'âme,
Elle va quérir une lame
Et tranche les fils à l'instant
Pour ne pas voir ça plus longtemps,
Puis, le regard empreint de deuil,
De sa maison franchit le seuil.

Con el corazón doliente,
latiéndole amargamente,
la viuda, cuchillo en mano,
corta aquel nudo gordiano,
y con un mudo lamento,
se reintegra a su aposento.

Taglia i cappi mentre il cuore
le si spacca dal dolore,
e quei corpi liberati
ma defunti e trapassati,
smorta in viso e senza vita
porta a casa ringobbita.

Cultro capto, valde maesta
– Opera fuit molesta –
Fila lente resecat
Et defunctos liberat.
Portat tunc cadavera
In culinam tacita.

Dieses war der erste Streich,
Doch der zweite folgt sogleich.

And was this the last trick? Wrong!
For the second won't be long.

Telle fut la farce unième,
Nous en venons à la deuxième.

La primera fue fatal –
la segunda, otra que tal...

Fino a qui la prima baia.
Ora un'altra, ancor più... gaia.

Talis dolus non amatur.
Tamen novus praeparatur.

ZWEITER STREICH

Als die gute Witwe Bolte
Sich von ihrem Schmerz erholte,
Dachte sie so hin und her,
Daß es wohl das beste wär,
Die Verstorbnen, die hienieden
Schon so frühe abgeschieden,
Ganz im stillen und in Ehren
Gut gebraten zu verzehren.
Freilich war die Trauer groß,
Als sie nun so nackt und bloß
Abgerupft am Herde lagen,
Sie, die einst in schönen Tagen
Bald im Hofe, bald im Garten
Lebensfroh im Sande scharrten.

SECOND TRICK

As the widow on the morrow
Was reviving from her sorrow
She reflected, still distraught,
That a fine and fitting thought
Was that they (so young in years
Ravished from this vale of tears)
Should in solemn, silent pride
Be ingested, nicely fried.
True, it brought her fresh despair
Just to see them, limp and bare,
Lie in state upon the hearth,
Who before that day of wrath,
Full of life and scratching hard,
Used to strut in walk and yard!

FARCE DEUXIEME

Après que l'excellente veuve
Eut surmonté sa rude épreuve,
Le pour et le contre pesé,
En son âme elle a disposé :
Ces défunts, lesquels ici-bas
Ont si tôt connu le trépas,
En tout honneur et sans rien dire,
De les manger, donc de les cuire.
Certes son deuil était profond
De les voir alignés de front
Tout plumés sur la cuisinière,
Ceux-là qui, la saison dernière,
Dans la cour ou dans le jardin
Grattaient le sable avec entrain.

SEGUNDA TRAVESURA

La viuda apenas repuesta
de tan dolorosa gesta,
pensó que lo más prudente,
oportuno y conveniente,
era dar por fallecidos
a aquellos seres queridos,
y en recuerdo del pasado,
reunirlos en un asado.
¡ Qué tristeza contemplar
la desnudez, tan vulgar,
de unos pollos desplumados,
que en los días soleados
le alegraban patio y huerta,
escarbando, pico alerta !

BAIA SECONDA

Dopo il colpo, ripigliato
la Cornutti un po' di fiato,
pensa che, gira e rigira,
e malgrado il duolo e l'ira,
oramai la meglio – e tosto –
sia ai suoi polli, fatti arrosto,
nel suo ventre con pia cura
dare degna sepoltura.
Ma che pena, ahimè, supini
veder nudi i corpicini
che ancor ieri, così baldi,
nel cortile, e così caldi,
fin dall'alba, di gran lena,
razzolavan sulla rena!

DOLUS ALTER

Bolte, proba vidua,
Denuo assidua
Vult in maximo honore
Mortuos amatos fore.
Bestias igni vult torrere
Optimeque sic lugere.
Certe luctus fuit rectus
Horridusque hic aspectus:
Nudus gallus cum gallinis,
Harum avium tristis finis!
«Heri terram raserant
Et per hortum vaserant –
Hodie iacent illo loco
Mortui in meo foco!»

Ach, Frau Bolte weint aufs neu,
Und der Spitz steht auch dabei.

Ah, once more she has to cry,
While her Spitz, bemused, stands by.

Derechef elle verse un pleur,
Et Spitz partage sa douleur.

¡Ay, la viuda vuelve al llanto
y el lulú casi otro tanto!

Ahi! di nuovo sbotta in pianto,
col suo fido Spitz accanto.

Ita sentit Bolte sane;
Lacrimat praesente cane.

Max und Moritz rochen dieses ;
«Schnell aufs Dach gekrochen !» hieß es.

Max and Moritz caught the scent.
«Up the roof !» their thinking went.

Max et Maurice en ont eu vent ;
Du toit ils ont gravi l'auvent.

Max y Móritz se la olieron :
«¡ Al tejado !», decidieron.

Ma già Pippo e Peppo in petto
ne hanno un'altra : e … via sul tetto !

Max et Moritz olfecerunt,
Tectum cito ascenderunt.

Durch den Schornstein mit Vergnügen
Sehen sie die Hühner liegen,
Die schon ohne Kopf und Gurgeln
Lieblich in der Pfanne schmurgeln.

Through the chimney, gay and reckless,
They can see them, plump and neckless,
Browning nicely in their batter,
Grace the frying pan and spatter.

Par le conduit, avec plaisir,
Ils voient quatre rôtis gésir
Qui, de leurs têtes allégés
Rissolent sur le potager.

Desde allí – ¡qué gran idea! –
se ven, por la chimenea,
los pollos en la sartén,
dorarse en un santiamén.

Dal camino, i due rampolli
vedon giù, croccanti, i polli,
e s'apprestano al festino,
grazie a un loro trucchettino.

Vident per fumarium
Gaudium splendidissimum:
Gallinarum copiam
Aptam ad vescendum iam.

Eben geht mit einem Teller
Witwe Bolte in den Keller,
Daß sie von dem Sauerkohle
Eine Portion sich hole,
Wofür sie besonders schwärmt,
Wenn er wieder aufgewärmt.

The bereft just then repairs
To her scullery downstairs
With a ladle to scoop out
Just a dab of sauerkraut,
Which she has a passion for
When it is warmed up once more.

A ce moment la Turlandu
Son escalier a descendu
Pour aller chercher à la cave
De bonne choucroute de rave.
C'est un mets dont elle raffole
Réchauffé dans la casserole.

La viuda Blume trasiega
con un plato en la bodega,
para sacar del barreño
una chucrut que es un sueño,
porque además de hacendosa,
la viuda es mujer golosa.

Con in mano una terrina
va la vedova in cantina
per pigliarsi una porzione
di quei crauti di stagione
che scaldati con malizia
son per lei una liquirizia.

Bolte autem deserit
Nunc culinam et petit
Partem crambes, quam amabat
Et in cella conservabat.
Diligit per totam vitam
Cramben saepe repetitam.

Unterdessen auf dem Dache
Ist man tätig bei der Sache.
Max hat schon mit Vorbedacht
Eine Angel mitgebracht.
Schnupdiwup! Da wird nach oben
Schon ein Huhn heraufgehoben;

Up above the fireplace
Other plans mature apace.
Max would hardly overlook
Bringing fishing rod and hook.
Allez-oop-da! Nice and soft,
Chicken one is borne aloft.

Pendant ce temps-là, sur le toit,
On s'active de ses dix doigts.
Max apporta par précaution
Une ligne au bout de son scion.
Hop! La volaille harponnée
S'élève dans la cheminée;

Mientras tanto, en el tejado,
se prepara un atentado.
Max, angelito del cielo,
despliega caña y anzuelo.
¡La pesca del pollo asado
es un deporte arriesgado!

Svelto allora un suo progetto
maturando là sul tetto,
Pippo armato d'una lenza
e, con Peppo, di prudenza,
«Hop hop là!» su dal camino
tira a sé il primo arrostino,

Quae in cella dum fiunt,
Pueri in tecto sunt.
Maxius non desipit;
Hamum secum attulit.
Nunc in regione ima
Haeret iam gallina prima.

Schnupdiwup! Jetzt Numro zwei;
Schnupdiwup! Jetzt Numro drei;
Und jetzt kommt noch Numro vier:
Schnupdiwup! Dich haben wir!
Zwar der Spitz sah es genau,
Und er bellt: «Rawau! Rawau!»

Presto! number two and whee!
Swiftly rising, number three.
Now for number four, the last:
Easy – there! we have it fast! –
Spitz astonished, watched them soar
Bow-wow-wowing more and more.

Hop! Le rôti numéro deux
Prend aussi le chemin des cieux;
Les rôtis trois et quatre suivent;
Hop! Sur le toit tous quatre arrivent.
Certes le chien Spitz qui voit tout
Fait «Oua! Oua!» comme un bon toutou;

¡Hopla, ya picó el primero!
¡Y el segundo, y el tercero!
Luego el cuarto, de un tirón,
y se acabó la función.
El lulú, muy sorprendido,
suelta, de pronto, un ladrido,

poi il secondo, finché bella
vuota resta la padella.
Spitz, da quelle sparizione
mosso a giusta indignazione,
«Bau! bau! bau!» si mette a urlare,
senza nulla poter fare.

Tollunt, trahunt – trahunt, tollunt,
Reliquas amplecti volunt.
Semel, bis, ter! Capimus.
Etiam gallum rapimus.
Canis fidus observavit;
Magnis viribus latravit.

Aber schon sind sie ganz munter
Fort und von dem Dach herunter.

But already thieves and prey
Have decamped and got away.

Mais après avoir dévalé
Du toit, les deux ont détalé.

mientras la pareja, airosa,
pone pies en polvorosa.

Già i birbanti, a gran galoppo,
se la dànno col malloppo,

Pueri non tremuerunt ;
Praedam cito abstulerunt.

Na! Das wird Spektakel geben,
Denn Frau Bolte kommt soeben.
Angewurzelt stand sie da,
Als sie nach der Pfanne sah.
Alle Hühner waren fort,
«Spitz!» – Das war ihr erstes Wort.

How contentment will be shattered!
Widow B., returning, scattered
Sauerkraut and stood as rooted
When she saw the skillet looted.
Every single chicken gone!
Spitz it was she turned upon.

Ça va faire un fameux raffût
Lorsque la veuve aura tout vu;
Car elle demeura livide
Quand elle vit la poêle vide.
C'était plus fort qu'à pigeon-vole.
«Spitz!» fut sa première parole.

La viuda Blume no es sorda,
¡aquí se va a armar la gorda!
«¡Dios del cielo! ¡Ave María!
¡La sartén está vacía!»
No queda ni un solo pollo.
«¡Lulú, tragón!» ¡Ay, qué embrollo!

mentre a lui, sulla sua testa,
si prepara la tempesta.
Ché la vedova, tornata
e ora lì, pietrificata,
«Spitz!!!» esplode a squarciagola
(è la prima sua parola)

Tum latratu territa
Venit Bolte vidua.
Pallor tegit viduam,
Ut conspexit patinam.
Scit hic corpora fuisse;
Putat canem rapuisse.

«Oh, du Spitz, du Ungetüm!
Aber wart! ich komme ihm!»

«Oh! Just wait, you wicked cur!!
I will have your sinful fur!!!»

«Dis donc, Spitz, monstre, sacripant!
Attends un peu, j'arrive!» Et pan!

«¡Chucho ladrón de lo ajeno,
vas a saber lo que es bueno!»

«Ah, tu farmi questo guaio!!!»
E brandito il gran cucchiaio,

Canis, canis, tibi vae!
Cave plagas feminae!

Mit dem Löffel, groß und schwer,
Geht es über Spitzen her;
Laut ertönt sein Wehgeschrei,
Denn er fühlt sich schuldenfrei.

And she dusted Spitz's wig
With the ladle, hard and big;
Loudly sounded his lament
As he pleaded innocent.

Avec le pochon à choucroute
Elle frappe Spitz en déroute
Qui, criant sa douleur, s'enfuit;
Il a sa conscience pour lui.

A cucharazos le atiza
una soberbia paliza;
y el lulú gime y se aleja,
sin comprender a la vieja.

giù – per dargli una lezione –
botte e botte sul groppone
di quel povero innocente
che guaisce inutilmente.

Non est iustum cochleari
Hunc custodem castigari.
Qui, quod pura eius mens,
Eiulavit innocens.

Max und Moritz im Verstecke,
Schnarchen aber an der Hecke,
Und vom ganzen Hühnerschmaus
Guckt nur noch ein Bein heraus.

Max and Moritz, though, are resting
In a shady grove, digesting.
Of the whole delicious theft
But two single legs are left.

Max et Maurice, bien cachés,
Ronflent, sous un taillis couchés ;
De tout ce festin de poulet
On ne voit plus qu'un osselet.

Max y Móritz, a cubierto,
roncan a dúo un concierto.
Y de aquel gran atracón,
dos muslos testigos son.

Nel frattempo i due, infrascati,
se la ronfano beati,
un bel coscio pipeggianti,
solo resto dei ruspanti.

Pueri se abdiderunt
Et in silva dormiverunt.
Vide cibi avidos :
Restat nihil nisi os.

Dieses war der zweite Streich,
Doch der dritte folgt sogleich.

And was this their last trick? Wrong!
For the third comes right along.

Telle fut la farce deuxième
D'où nous passons à la troisième.

La segunda fue fatal –
la tercera, otra que tal...

Fino a qui la baia seconda.
Or la terza, più... gioconda.

Talis dolus non amatur.
Tamen novus praeparatur.

DRITTER STREICH

THIRD TRICK

FARCE TROISIEME

TERCERA TRAVESURA

BAIA TERZA

DOLUS TERTIUS

Jedermann im Dorfe kannte
Einen, der sich Böck benannte.
Alltagsröcke, Sonntagsröcke,
Lange Hosen, spitze Fräcke,
Westen mit bequemen Taschen,
Warme Mäntel und Gamaschen –
Alle diese Kleidungssachen
Wußte Schneider Böck zu machen.
Oder wäre was zu flicken,
Abzuschneiden, anzustücken,
Oder gar ein Knopf der Hose
Abgerissen oder lose –
Wie und wo und was es sei,
Hinten, vorne, einerlei –
Alles macht der Meister Böck,
Denn das ist sein Lebenszweck.
Drum so hat in der Gemeinde
Jedermann ihn gern zum Freunde.
Aber Max und Moritz dachten,
Wie sie ihn verdrießlich machten.

All the village, willy-nilly,
Knew the name of Tailor Billy.
Weekday jackets, Sunday coats,
Tapered trousers, redingotes,
Waistcoats bordered with galloons,
Woolly greatcoats, pantaloons –
Any garment, tight or loose,
Billy knew how to produce.
Were it only darning, patching,
Shortening, perhaps, or stretching,
Or a pocket wrongly angling,
Trouser button lost or dangling –
What or where the flaw might be,
Fore or aft, to wind or lee,
He removes or remedies,
For he's pledged his life to these.
Hence all people of the place
Show this man a pleasant face.
Only Max and Moritz plot
How to aggravate his lot.

Lebouc, dans le village, est un
Homme bien connu de chacun.
Les habits courts, les habits longs,
Les fracs pointus, les pantalons,
Les gilets aux poches pratiques
Les manteaux chauds, les dalmatiques,
Tous ces objets d'habillement,
Lebouc les fait parfaitement.
S'il s'agit de raccommoder,
Rogner, rapiécer, ravauder,
Si quelque bouton de culotte
Au bout d'un fil trop long grelotte
Devant, derrière ou même ailleurs,
Il est du ressort du tailleur.
Maître Lebouc fait tout cela
Et pratique ce métier-là ;
Dans la communauté rurale,
Il a l'estime générale.
Or Max et Maurice ont pensé
Qu'il pourrait être relancé.

Todo el pueblo conocía
a Segismundo García.
Confeccionaba gabanes,
tabardos y macferlanes,
levitas, capas, calzones,
zamarras y pantalones –
aquel buen sastre García,
con indudable maestría.
Alargaba, remendaba,
estrechaba o ensanchaba
y pegaba los botones
sueltos de los pantalones –
dónde fuera y lo que fuera,
codo, cuello o la culera –
desde un roto a un descosido :
para sastre había nacido.
Por eso aquí todo el mundo
quiere tánto a Segismundo.
Max y Móritz, los villanos,
se traen algo entre manos :

Nel villaggio un tizio c'è
che conoscon tutti: Beck.
Sfido: sarto straordinario,
egli a tutti è necessario,
ché da artista rifinito
ti sistema – e ben vestito –
per le feste o pel lavoro
con il massimo decoro.
Maestro in attaccar bottoni
– siano gonne, sian calzoni –
non ci son per lui fondelli
fra i più sdruci e i più a strambelli
che per dritto o per rovescio,
di traverso o di sghimbescio,
non rattoppin le sue dita,
rese esperte dalla vita.
Sì che tutti nella zona
se lo tengon sempre in buona,
e sol Pippo e Peppo stanno
scervellandosi a suo danno.

Boecius vestes fabricat.
Nemo est, qui nesciat.
Fecit vestes cottidianas,
Bracas antique Germanas,
Neque non solemnes vestes,
Artis suae claras testes;
Partim vestes fabricabat,
Partim vestes reparabat,
Amputabat, adiciebat,
Res antiquas reficiebat
Et, quem bulla deficiebat,
Ei novam adiungebat.
Ita Boecius undique
Proderat in omni re.
Constat omnes adiuvari,
Boecium publice amari,
Sed versari intra muros
Ei noxam paraturos
Duos malos pueros,
Quos defecit bonus mos.

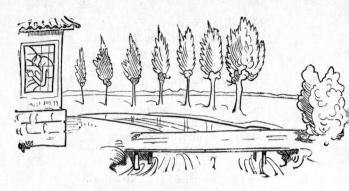

Nämlich vor des Meisters Hause
Floß ein Wasser mit Gebrause.
Übers Wasser führt ein Steg
Und darüber geht der Weg.

Past his dwelling, one must know,
Rushing, roaring waters flow,
With a bridge of planks to guide
People to the other side.

Devant la maison du quidam,
Un ruisseau coulait abondant.
Une planche pas très solide
Enjambe le cours d'eau rapide.

De García es fiel vecino
un arroyo cristalino,
y una tabla en el arroyo,
sirve al camino de apoyo.

Passa un rio, con gran fragore,
dalla casa del sartore.
Un sottile ponticello
attraversa quel ruscello.

Ubi Boecius habitat,
Rivi rumor fluctuat.
Ibi est ponticulus
Aptus nunc ad facinus.

Max und Moritz, gar nicht träge,
Sägen heimlich mit der Säge,
Ritzeratze! voller Tücke,
In die Brücke eine Lücke.

Max and Moritz, full of spite,
Saw with mischievous delight
Reeker-rawker, heartless prank,
At the plank from bank to bank.

Pour accomplir ce bel ouvrage,
Max et Maurice ont du courage :
Tous deux, avecque perfidie,
Font dans la planche un trait de scie.

Max y Móritz, frente a frente,
sierran sigilosamente –
¡ sierra que te serrarás,
hasta que no pueden más!

Pippo e Peppo in reo complotto
segan l'esile viadotto
per lasciarne – ah birbonata! –
l'asse unica tagliata.

Max et Moritz impigri
Serra bene utili
Secant – curiosus sum –
Partim hunc ponticulum.

Als nun diese Tat vorbei,
Hört man plötzlich ein Geschrei:
«He, heraus! du Ziegen-Böck!
Schneider, Schneider, meck, meck, meck!»
Alles konnte Böck ertragen,
Ohne nur ein Wort zu sagen;
Aber wenn er dies erfuhr,
Ging's ihm wider die Natur.

When the pitfall is prepared,
Loud and jeering shouts are heard:
«Bah! Come out here! Tattercoat!
Tailor, Tailor Billy-Goat!»
Almost any kind of jest
He could stand and not protest.
But when such a taunt was yelled
His immortal soul rebelled.

A peine ce travail s'achève,
Qu'on entend un cri qui s'élève:
«Vas-tu sortir, vieux bouc-en-train!
Bê! Le tailleur, qu'il est vilain!»
Lebouc supportait les semonces
Sans perdre un mot pour les réponses;
Mais quand il entendit cela,
Sa nature se rebella.

Junto al cuerpo del delito,
exclaman a voz en grito:
«¡Sal, Segismundo, mal sastre!
¡Sal si te atreves, pillastre!»
El maestro Segismundo
nunca fue un hombre iracundo;
pero ante el ultraje aquel,
se le revolvió la hiel.

Poi d'un frùtice a ridosso,
urlan gai a più non posso:
«Fuori, Beck! Esci, Beck! Beck!
Sarto becco! Beh! Beh!! Beh!!!»
Tutto, Beck, può sopportare,
che ad un gioco sa anche stare;
ma guai a dirgli becco! Perde
la pazienza e si fa verde.

Postquam actus est finitus,
Magnus clamor est auditus.
Boecii nomen exclamant.
Hirci vocem simulant.
Ille homo placidus
Et plerumque tacitus
Subito est stimulatus,
Inflammatus, excitatus.

Schnelle springt er mit der Elle
Über seines Hauses Schwelle,
Denn schon wieder ihm zum Schreck
Tönt ein lautes: «Meck, meck, meck!»

In one swoop he cleared the stoop,
Ell in hand: Again a whoop
Of protracted bleating smote
On his ear, and «Billy-Goat!»

L'aune à la main, il se projette
Hors de l'abri de sa retraite;
L'insulte d'un chevrotement
Retentit juste à ce moment.

Con la vara de medir
lo ven de casa salir,
y vuelve a mofarse de él
aquella pareja cruel.

Preso il metro per bastone
sbuca fuori dal portone,
mentre i due monelli, ahimè,
ridàn fiato ai lor «Beh! Beh!».

Ulnam manu nunc vibrat
Et foras praecipitat.
Boecius minime cunctatur;
Clamor enim iteratur.

Und schon ist er auf der Brücke,
Kracks! Die Brücke bricht in Stücke;

He is crossing at a dash;
No! A crash, and then a splash!

Or il s'engage sur le pont.
Patratas! Celui-ci se rompt.

Llega al puente, de ella en pos,
¡y el puente se parte en dos!

Senonché la passerella,
crac!, nell'acqua lo sbarella,

Paene autem pons est ei
Maximae perniciei;

Wieder tönt es: «Meck, meck, meck!»
Plumps! Da ist der Schneider weg!

Gleeful bleats and whoops, a snort –
Plop! We are a tailor short.

Ça recommence encor: «Bê! Bê!
Bê!» Plouf! Le tailleur disparaît.

Cae al agua del torrente
y lo arrastra la corriente.

e fra altri «Beh! Beh! Buh!»
il tapin sparisce giù.

Aqua mergitur totalis.
Esset lapsus hic fatalis,

Grad als dieses vorgekommen,
Kommt ein Gänsepaar geschwommen,

At this crisis of the piece
There approach a brace of geese.

Du trépas sera-t-il la proie?
Survient nageant un couple d'oies.

Nadan por allí dos gansos,
aparentemente mansos,

Proprio allor, due paperette
passan là, e alle lor zampette

Nisi anseres fuissent
Et natantes advenissent.

Welches Böck in Todeshast
Krampfhaft bei den Beinen faßt.
Beide Gänse in der Hand
Flattert er auf trocknes Land.

Billy at his dying gasp
Seizes them with viselike clasp,
And is fluttered back to land
Shrieking goose in either hand.

En butte aux angoisses mortelles,
Il s'accroche à chacune d'elles.
Les deux oiseaux, prenant leur vol,
Déposent Lebouc sur le sol.

y desesperado el sastre,
busca en las aves arrastre.
Los gansos alzan el vuelo
y lo devuelven al suelo.

mastro Beck strettosi forte
nel terrore della morte,
dal lor volo di spavento
viene tratto a salvamento.

Pedes anserum prehendet.
Ita est, et vivus pendet.
Magna anserum est vis.
Boecius est incolumis.

Übrigens bei alledem
Ist so etwas nicht bequem ;
Wie denn Böck von der Geschichte
Auch das Magendrücken kriegte.

What with all the stress of this,
One's physique may go amiss.
In Herr Billy's case the frolic
Netted him a painful colic.

Mais, quoi qu'on en pense un peu vite,
Il n'en est pas aussitôt quitte.
Car Lebouc, dans cette aventure,
D'estomac connut la torture.

¡ A Segismundo, la broma,
lo deja al borde del coma !
De aquella mortal fatiga
le entró dolor de barriga.

Ma che scherzo screanzato,
pensa il povero ammollato,
la cui vita ora avvelena
un tremendo mal di schiena.

Noxia sunt balnea
Subita et frigida.
Quem fortuna vix servavit,
Stomacho nunc aegrotavit.

Hoch ist hier Frau Böck zu preisen!
Denn ein heißes Bügeleisen,
Auf den kalten Leib gebracht,
Hat es wieder gut gemacht.
Bald im Dorf hinauf, hinunter,
Hieß es: «Böck ist wieder munter!»

Meet Frau Billy at her best:
For a heated iron pressed
To the belly with a will
Soon repairs the raging ill.
Hear them up and down the street:
Billy's back upon his feet!

De Lebouc célébrons l'épouse:
D'un fer, en guise de ventouse
Posé chaud sur le ventre froid,
Elle remet tout à l'endroit.
Bientôt dans le village on dit:
«Lebouc est tout ragaillardi».

66

Menos mal que su señora
con la plancha lo mejora:
un sencillo tratamiento
alivia al punto el tormento.
Todo el pueblo se ha enterado:
«¡Segismundo está curado!»

Monna Beck – donna esemplare! –
col suo ferro da stirare
scalda il corpo illividito
del carissimo marito,
e la cura, pur se stramba,
lo rimette presto in gamba.

Uxor autem fervido
Ferro politario
Sanat stomachum aegrotum,
Recreavit corpus totum.
De salute Boecii sani
Gaudent omnes rusticani.

Dieses war der dritte Streich,
Doch der vierte folgt sogleich.

And was this their last trick? Wrong!
For the fourth comes right along.

Telle fut la farce troisième ;
Nous passons à la quatrième.

La tercera fue fatal –
y la cuarta, otra que tal...

Fino a qui la terza baia.
Or la quarta, ancor più... gaia.

Talis dolus non amatur.
Tamen novus praeparatur.

VIERTER STREICH

Also lautet ein Beschluß:
Daß der Mensch was lernen muß.
Nicht allein das A-B-C
Bringt den Menschen in die Höh;
Nicht allein im Schreiben, Lesen
Übt sich ein vernünftig Wesen;
Nicht allein in Rechnungssachen,
Soll der Mensch sich Mühe machen;
Sondern auch der Weisheit Lehren
Muß man mit Vergnügen hören.
Daß dies mit Verstand geschah,
War Herr Lehrer Lämpel da.
Max und Moritz, diese beiden,
Mochten ihn darum nicht leiden;
Denn wer böse Streiche macht
Gibt nicht auf den Lehrer acht.
Nun war dieser brave Lehrer
Von dem Tobak ein Verehrer,
Was man ohne alle Frage
Nach des Tages Müh und Plage
Einem guten, alten Mann
Auch von Herzen gönnen kann.
Max und Moritz, unverdrossen,
Sinnen aber schon auf Possen,
Ob vermittelst seiner Pfeifen
Dieser Mann nicht anzugreifen.

FOURTH TRICK

From on high it is ordained
That the human mind be trained.
Not alone the ABCs
Elevate it by degrees;
Nor does writing competence
By itself make men of sense;
Nor will 'rithmetic in season
Satisfy aspiring reason:
Moral precepts, too, are needed –
To be heard with zeal and heeded.
Teachers see this wisely done.
Master Lampel here is one.
Master Lampel's gentle powers
Failed with rascals such as ours;
For the evilly inclined
Pay preceptors little mind.
Lampel, now, this worthy teacher,
Loved to smoke his pipe – a creature
Comfort which, it may be said,
Once the day's hard load is shed,
No fair-minded person can
Hold against a dear old man.
Max and Moritz, sly as ever,
Try to think of something clever:
How to play the man a hoax
Through the meerschaum which he smokes.

FARCE QUATRIEME

Ce qu'on doit apprendre, et comment,
Est prescrit par un règlement.
On s'élève quand on possède
L'ABC de A jusqu'à Zède ;
Savoir lire, écrire ? Tant mieux !
Mais il est un bien plus précieux ;
Bien sûr, il faut que l'on s'applique
Aux problèmes d'arithmétique ;
Mais surtout il faut de sagesse
Se nourrir avec allégresse.
C'est à quoi vaque avec raison
Monsieur l'instituteur Mouton.
Max et Maurice avaient motif
De trouver cela négatif ;
Quiconque veut tout se permettre
Ignore les leçons du maître.
Or cet honnête instituteur
De la pipe est l'adorateur ;
Après une rude journée
Entière au travail adonnée,
On permettra la chose, en somme,
De tout cœur à ce bon vieil homme.
Max et Maurice néanmoins
Se concentrent sur un seul point :
Si, par le canal de sa pipe,
On pourrait s'en prendre à ce type.

CUARTA TRAVESURA

A nadie estorba el saber
ni está de más aprender.
Conocer el alfabeto
merece el mayor respeto,
pero no basta con eso:
hay que avivar siempre el seso;
multiplicar es un arte
y el que parte, bien reparte,
pero no hay mejor lección
que de un sabio la opinión.
Maese Petrus, als respecto,
era sabio y era recto.
Max y Móritz, por lo tanto,
lo odiaban Dios sabe cuánto,
que el que es malo y es siniestro,
no hace caso del maestro.
Petrus era probo, flaco
y aficionado al tabaco,
vicio que en otros es culpa
y en él merece disculpa,
porque ayuda a soportar
fatigas y mal pasar.
Max y Móritz, esta vez,
traman otra insensatez:
darle al maestro un buen susto
con las pipas, y un disgusto.

BAIA QUARTA

Giustamente si asserisce
che uno val se s'istruisce.
Ma non basta il sillabario
per uscir dall'ordinario.
Oltre il leggere e lo scrivere,
se da bruto non vuoi vivere,
oltre il pronto conteggiare,
necessario è anche ascoltare
ben disposti e in allegrezza
chi possiede la saggezza. ·
Or, se un savio è qui nel luogo,
è Lampione, il pedagogo.
Pippo e Peppo – un ciuco e un bue! –
l'hanno in uggia tutti e due:
ché non può gradir lezioni
chi ama i giochi birbaccioni.
Della pipa è buon cultore
il preclaro precettore:
comprensibile vizietto
in un casto e buon vecchietto
che da mane a sera sgobba
per la povera sua sbobba.
Nell'ordire al probo viro
il nuovissimo lor tiro,
Pippo e Peppo non per sbaglio
quella pipa han per bersaglio.

DOLUS QUARTUS

Dira est necessitas:
Disce, homo, litteras!
Discens solum A-B-C
Tu carebis omni spe
Ad honores ascendendi
Et ingenio crescendi;
Scribas, legas, numeres –
Tamen tibi non est spes,
Nisi confers operam
In sapientiae copiam.
Quod ut bene efficiatur,
Ab hoc Lampulo curatur.
Quare Lampulum oderunt,
Quia pessimi fuerunt,
Max et Moritz vitiosi,
Leves, impii, otiosi.
Constat nostrum Lampulum
Amavisse tabacum.
Egomet non dubito,
Quin, cum e negotio
Senex probus rediit,
Tabacus amoenus sit.
Max et Moritz autem iam
Cogitant malitiam.
Dolum sunt praeparaturi,
Pipa senem aggressuri.

Hora est dominicae.
Lampulus ecclesiae
Servit. Ante orgulam
Sedet. Facit musicam.

Einstens, als es Sonntag wieder,
Und Herr Lämpel, brav und bieder,
In der Kirche mit Gefühle
Saß vor seinem Orgelspiele,

Once, when Sunday morning came
(Seeing him, by duty's claim,
Hard beneath the holy ceiling,
Play the organ with much feeling),

Un dimanche, jour du Seigneur,
Monsieur Mouton, avec ferveur,
Sous les voûtes sacerdotales
De l'orgue pressait les pédales.

Maese Petrus, el domingo,
como siempre, sin distingo,
toca el órgano con brío
en la iglesia de San Pío.

Profittando d'un momento
in cui pien di rapimento
è con l'organo alle prese
nella chiesa del paese,

Schlichen sich die bösen Buben
In sein Haus und seine Stuben,
Wo die Meerschaumpfeife stand;
Max hält sie in seiner Hand;

Max and Moritz tippytoed
Up into his snug abode
Where the pipe was wont to stand;
Max has seized it in his hand,

Alors les deux méchants garçons
S'introduisent dans la maison
Où la pipe était conservée.
C'est Max qui la tient élevée;

Y aquellos dos revoltosos,
se introducen, cautelosos,
en casa del organista,
de las pipas tras la pista.

s'introducono di botto
nella casa del gran dotto,
e il suo bel pipon di spuma
ch'egli, a sera, lieto fuma,

Tum in casam Lampuli
Intraverunt pueri,
Ubi pipam invenerunt,
Quam nunc pulvere pleverunt

Aber Moritz aus der Tasche
Zieht die Flintenpulverflasche,
Und geschwinde, stopf, stopf, stopf!
Pulver in den Pfeifenkopf.
Jetzt nur still und schnell nach Haus,
Denn schon ist die Kirche aus.

While it falls to Moritz's task
From the blasting-powder flask
To dispense a goodly gob
And to lodge it in the knob.
Out and home then at a run!
Service must be nearly done.

Tirant de sa poche une poire
Pleine de force poudre noire,
Maurice de poudre à moineau
Promptement bourre le fourneau.
Ensuite il faut qu'on déguerpisse,
Car déjà s'achève l'office.

Max, con la cachimba en mano,
se apresura: «¡Al grano, al grano!»,
y Móritz carga y aprieta
pólvora en la cazoleta.
Luego se largan, deprisa,
antes que acabe la misa.

Peppo colma in un istante
d'esplosivo fulminante
che ha portato in un vasetto
per l'inedito dispetto.
Poi, rimesso tutto a posto,
se la battono al più tosto,

Explosivi generis,
Instrumento sceleris.
Fugiunt tum delinquentes
Senis reditum timentes.
Venit quiescendi causa
Senex templi porta clausa;

Eben schließt in sanfter Ruh
Lämpel seine Kirche zu ;
Und mit Buch und Notenheften,
Nach besorgten Amtsgeschäften,
Lenkt er freudig seine Schritte
Zu der heimatlichen Hütte,

Calmly, with a gentle jolt,
Lampel shot the sacred bolt,
Toils of office well discharged,
And, with key and music, barged
Off to the domestic haven,
Driven by a joyful craving

Monsieur Mouton, dévotieux,
Ferme à clé la porte de Dieu
Et, chargé de sa paperasse,
A ses devoirs ayant fait face,
D'un pas plus alerte, chemine
Vers son accueillante chaumine ;

Maese Petrus reza un Ave
y después cierra con llave ;
tras cumplir con su deber
– que es de sabios menester –
regresa a casa contento,
en busca de esparcimiento.

mentre il nostro – uscito – lieve
chiude l'uscio della pieve
e s'avvia, calmo e bonario,
col suo bravo antifonario,
verso l'umile casetta
dove, carica, lo aspetta

Est tranquillus reditus
Functi nunc muneribus.
Laetus post officium
Petit domicilium.
Deo gratiam habuit,
Pipae ignem intulit.

79

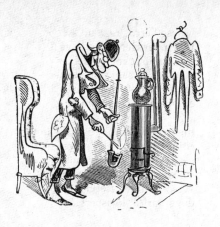

Und voll Dankbarkeit sodann
Zündet er sein Pfeifchen an.

And with decorous dispatch
Stuffed his pipe and lit the match.

Plein d'une gratitude honnête,
A sa pipe il met l'allumette...

Las delicias del hogar
son descansar y fumar.

la sua pipa – oh gratitudine! –
sola sua beatitudine.

«O me felicissimum»,
Inquit, «contentissimum!»

«Ach!» – spricht er – «die größte Freud
Ist doch die Zufriedenheit!»

«Ah! to be content,» he sighs,
«Is the best of earthly joys!»

«Le plus grand bonheur, à coup sûr,»
Dit-il, «est la paix d'un cœur pur...»

«¡Gozar, aunque no se estila,
de una conciencia tranquila!»

«Qual piacer» pensa «è maggiore
del piacer d'un fumatore?»

Bona pax est ad fornacem.
Fragor autem frangit pacem.

Rums! Da geht die Pfeife los
Mit Getöse, schrecklich groß.
Kaffeetopf und Wasserglas,
Tobaksdose, Tintenfaß,
Ofen, Tisch und Sorgensitz –
Alles fliegt im Pulverblitz.

Krroom! explodes the meerschaum head
With a crash to wake the dead.
Water glass and coffeepot,
Ink, tobacco box, the lot,
Table, stove, and chair of oak,
All goes up in flash and smoke.

Boum! fait la pipe. C'est le cas
D'un épouvantable fracas:
Le verre d'eau, la cafetière,
Encrier, tabac, tabatière,
Table, fourneau, tasse et fauteuil,
Tout cela vole en un clin d'œil.

¡Cataplum! ¡Una explosión!
¡La cachimba hecha cañón!
¡Saltan jarro, taza, pluma,
tabaco, tintero, en suma,
se esparcen por el salón,
estufa, mesa y sillón!

E già ha acceso. E – bbumm!! – di schianto
salta all'aria tutto quanto:
sedia, occhiali, caffettiera,
calamaio, tabacchiera,
scrivania, lume, pitale,
in un sabba arcinfernale!

Olla coffeae est fracta,
In particulas coacta;
Cupa atramenti senis,
Mensa, fornax, sella lenis
Tabacique arcula:
Perierunt omnia.

Als der Dampf sich nun erhob,
Sieht man Lämpel, der – gottlob! –
Lebend auf dem Rücken liegt ;
Doch er hat was abgekriegt.
Nase, Hand, Gesicht und Ohren
Sind so schwarz als wie die Mohren,
Und des Haares letzter Schopf
Ist verbrannt bis auf den Kopf.

Lifting fumes show him prostrated
But, thank God, still animated
By the priceless godly spark –
Though much balder now, and dark ;
Hands, facade, and apertures
Are quite like a blackamoor's.
And the hair's precarious hull
Burnt away unto the skull.

Quand le brouillard s'est éclairci,
On voit Mouton qui, Dieu merci,
Est vivant, couché sur le dos ;
Mais il souffre de mille maux :
Il a les mains, la face et tout
Aussi noirs qu'un Topinambou ;
Jusqu'à la racine ayant cuit,
Son reste de cheveux a fui.

Cuando el humo se disipa,
tras la explosión de la pipa,
Maese Petrus, bien que vivo,
tiene un aire llamativo
de carbonero africano,
disfrazado de cristiano.
Y es grande su desconsuelo,
porque no le queda un pelo.

Diradatosi il nebbione,
or vediamo il buon Lampione
ancor vivo, ma supino
fra la stufa e il tavolino.
Bruciacchiato e tutto cotto
sembra proprio un ottentotto ;
e per completar la festa,
non ha più un capello in testa.

Fugiente parte fumi
Lampulus apparet humi
Vivus nec incolumis ;
Magna vis est pulveris.
Ustus crinis ad radices,
Ustum caput ad cervices,
Usta tota facies !
Valescendi parva spes.

Wer soll nun die Kinder lehren
Und die Wissenschaft vermehren?
Wer soll nun für Lämpel leiten
Seine Amtestätigkeiten?
Woraus soll der Lehrer rauchen,
Wenn die Pfeife nicht zu brauchen?

Who is now to foster youth
And diffuse scholastic truth?
Who devote such gifts as his
To his sundry offices?
How shall Teacher have a puff
With his pipe not up to snuff?

Mais qui désormais va pouvoir
Transmettre aux enfants le savoir,
Qui, pour Monsieur Mouton, s'affaire
A le remplacer dans sa sphère?
Et comment voulez-vous qu'il fume
S'il n'a plus sa pipe d'écume?

La escuela llora la ausencia
de un hondo pozo de ciencia.
¿Quién va a suplir sus funciones,
sus magistrales lecciones?
¿Cómo va a fumar ahora,
pensando en tan negra hora?

Chi mai adesso, poverini,
insegnar potrà ai bambini?
Chi potrà alla gioventù
inculcare la virtù?
E lui... dove or piperà,
dopo quel patatatràc?

Quis nunc liberos docebit?
Quis nunc litteras augebit?
Quis futuro tempore
Hoc fungetur munere?
Postquam pipa periit,
Quomodo nunc fumus fit?

Mit der Zeit wird alles heil,
Nur die Pfeife hat ihr Teil.

All in course of time is mended;
But the pipe's career is ended.

Enfin, avec le temps, tout passe,
Sauf que la pipe est à la casse.

Maese Petrus mejoró,
la cachimba, en cambio, no.

Tutto, il tempo aggiustar può:
ma rifar la pipa, no!

Temperi res omnis crescit –
Pipa fracta non sanescit.

Dieses war der vierte Streich,
Doch der fünfte folgt sogleich.

And was this their last trick? Wrong!
For the fifth comes right along.

Ce fut la farce quatrième
Que suit à l'instant la cinquième.

La cuarta ha sido fatal –
y la quinta, otra que tal . . .

Fino a qui la quarta baia.
Or la quinta, ancor più . . . gaia.

Talis dolus non amatur.
Tamen novus praeparatur.

FÜNFTER STREICH

Wer in Dorfe oder Stadt
Einen Onkel wohnen hat,
Der sei höflich und bescheiden,
Denn das mag der Onkel leiden.
Morgens sagt man: «Guten Morgen!
Haben Sie was zu besorgen?»
Bringt ihm, was er haben muß:
Zeitung, Pfeife, Fidibus.
Oder sollt es wo im Rücken
Drücken, beißen oder zwicken,
Gleich ist man mit Freudigkeit
Dienstbeflissen und bereit.
Oder sei's nach einer Prise,
Daß der Onkel heftig niese,
Ruft man «Prosit!» allsogleich,
«Danke, wohl bekomm es Euch!»
Oder kommt er spät nach Haus,
Zieht man ihm die Stiefel aus,
Holt Pantoffel, Schlafrock, Mütze,
Daß er nicht im Kalten sitze –
Kurz, man ist darauf bedacht,
Was dem Onkel Freude macht.
Max und Moritz ihrerseits
Fanden darin keinen Reiz.
Denkt euch nur, welch schlechten Witz,
Machten sie mit Onkel Fritz!

FIFTH TRICK

He who in his native sphere
Has an uncle living near
Must be modest and polite
To be pleasing in his sight.
Greet him with «Good day to you!
Is there something I can do?»
Bring him journal, pipe, and spill,
And such other wants fulfill
As when, say, some twinge or twitch
In his back should pinch or itch,
Or an insect make him nervous –
Always glad to be of service.
Or if after snuffing gently
Uncle sneezes violently,
One cries: «Bless you, Uncle dear!
May it bring long life and cheer!»
If he enters halt of limb:
Having pulled the boots off him,
One brings slippers, gown, and lid,
Lest he shiver, God forbid.
In a word, one tries to ease
His existence and to please.
Max and Moritz for their part
Do not take these rules to heart.
Uncle Fritz – the coarse offense
They commit at his expense!

FARCE CINQUIEME

L'oncle qu'on a tous quelque part
Sera l'objet de nos égards :
L'empressement, la modestie,
Voilà ce que l'oncle apprécie.
Le matin, on dit, bien gentil,
«Bonjour, Tonton ; que vous faut-il?»
On lui donne ce qu'il lui faut :
Le journal, sa pipe, un brûlot.
S'il ressent quelque lumbago,
Goutte, tour de reins, prurigo,
Qu'un rhumatisme le tracasse,
On lui porte une aide efficace.
Ou, quand il prise son tabac
Et qu'il fait : «Atchoum !» tout à trac,
On s'écrie aussitôt : «Santé !
Dieu vous conserve en sainteté !»
S'il rentre tard par la froidure,
On l'aide à tirer sa chaussure,
On lui donne sans qu'il commande
Ses chaussons et sa houppelande.
Bref on a pour constant désir
De faire à son oncle plaisir.
Max et Maurice, pour leur part,
N'y trouvaient aucun charme, car
Vous verrez quel coup éhonté
A l'oncle Fritz ils ont monté.

QUINTA TRAVESURA

El que tenga un tío carnal,
no debe tratarlo mal:
será cortés y discreto,
con el debido respeto.
Es conveniente decirle:
«¡Aquí estoy, para servirle!»
«¿Le apetece alguna cosa?»
«¿Bicarbonato de sosa?»
«¿La Gaceta?» ¡Lo que diga!
«¿Que le rasque la barriga...?»
Así ha de ser un sobrino:
diligente, atento y fino.
Todo tiene su porqué,
hasta el tabaco rapé,
y al oír el patatús,
hay que responder: «¡Jesús!»
Cuando caen cuatro gotas,
hay que sacarle las botas,
si hace frío, de rodillas,
ponerle las zapatillas,
resumiendo: noche y día
hay que estar sirviendo a usía.
A Max y Móritz todo esto,
les parecía molesto.
Y a su respetable tío,
lo metieron en un lío.

BAIA QUINTA

Chi in paese od in città
ha uno zio che a cuor gli sta,
gli usi sempre cortesia,
se vuol ch'egli lieto sia.
Al mattin: «Buon dì, zietto!
Posso farti un servizietto?».
E poi – subito! – giornale,
pipa, acqua minerale.
Se alla schiena ha un prudorino,
lo si gratti per benino,
dichiarandosi in letizia
pronti a ogni altra sua delizia.
Sternutisce, poffarbacco,
alla presa di tabacco?
Tu: «Salute!», di' persuaso,
mentre lui si soffia il naso.
E se torna un po' bagnato,
or che il tempo è rinfrescato,
via! pantofole e vestaglia,
e il suo bel zucchetto a maglia!
In sostanza: al suo contento,
sia votato ogni momento.
Non così fan Pippo e Peppo,
che il cervello han d'astio zeppo.
Anzi, a Fritz, loro ziuccio,
or vedrete che scherzuccio!

DOLUS QUINTUS

Habesne avunculum
Divitem homunculum?
Habes! Ergo sis modestus,
Illi minime molestus,
Veni visitatum mane!
Nam gaudebit ille sane,
Si urbanus, non iners,
Tabacum et ignem fers.
Si affectus est dolore,
Cura eum cum amore!
Naso tabacum amanti
Gratulare sternutanti!
«Have», dic, «avuncule,
Valeas velim, optime!»
Calceos resolve vero
Domum redeunti sero,
Quod urbanitas te docet.
Frigus enim illi nocet.
Esto denique benignus,
Huius viri gratia dignus!
Max et Moritz sapiebant,
Pietatem fastiebant.
Fridericum non amabant,
Innocentem irritabant.

Jeder weiß was so ein Mai-
Käfer für ein Vogel sei.
In den Bäumen hin und her
Fliegt und kriecht und krabbelt er.

Everybody knows the May
Beetle and its crawly way.
In their hundreds they will bumble
In the trees and buzz and tumble.

Chacun sait que le hanneton
En mai se propage à foison ;
Dans les arbres il déambule,
Grimpe, se démène et circule.

Del abejorro la vida
suele ser bien conocida.
Gustan de volar zumbando
de hoja en hoja, alborotando.

Tutti sanno, anche i bambini,
cosa sono i maggiolini,
che si posan vispi e rossi
su ciliegi, peri, bossi.

Melolonthae hi vulgares
Nobis sunt familiares.
Mense Maio milia
Susurrant per folia.

Max und Moritz, immer munter,
Schütteln sie vom Baum herunter.

Max and Moritz's stratagem
Calls for quite a lot of them.

Max et Maurice vont en chasse:
On secoue, ensuite on ramasse.

La pareja, en son de guerra,
los obliga a tomar tierra.

Pippo e Peppo a un alberello
dàn scrolloni, poverello,

Max et Moritz quassaverunt.
Melolonthae ceciderunt.

In die Tüte von Papiere
Sperren sie die Krabbeltiere.

They have brought two bags of paper,
Also needed for their caper.

Dans un cornet de papier gris,
Chacun met les hannetons pris.

Y como han caído muchos,
rellenan dos cucuruchos,

e rinchiudono ogni insetto
in un loro cartoccetto

Nunc curiose colliguntur,
Tam papyro involvuntur,

Fort damit, und in die Ecke
Unter Onkel Fritzens Decke!

These they bear with catlike tread
And insert in Uncle's bed,

Le cheptel ainsi ramassé
Dans le lit de l'oncle est placé!

que esconden, rápidamente,
en la cama del pariente.

che sisteman lì per lì
nel coltrone di zio Fritz.

Quos immittunt scelerati
In cubiculum cognati.

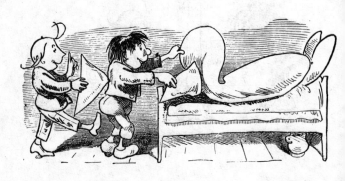

98

Bald zu Bett geht Onkel Fritze
In der spitzen Zippelmütze ;
Seine Augen macht er zu,
Hüllt sich ein und schläft in Ruh.

Whither he will soon repair
In his tasseled slumberwear.
In he climbs and soon is deep
In the eiderdown, asleep.

L'oncle coiffé d'un casque à mèche,
De bonne heure gagne sa crèche.
Il ferme un œil, en ferme deux,
Se rencogne et s'endort heu-reux.

Aquí sale a relucir,
con su gorro de dormir ;
se tapa, bien tapadito,
y ronca como un bendito.

Presto a letto va lo zio
con in testa il suo cicìo;
chiude gli occhi e in un beato
sonno è bell'e sprofondato.

Fridericus dormiturus
Est in lectum invasurus
Brevi tum extincta face
Dormit probus bona pace.

Doch die Käfer, kritze, kratze!
Kommen schnell aus der Matratze.

Beetles climb the featherbed
In a line for Uncle's head.

Mais les hannetons en goguette
S'échappent hors de leur cachette.

Del edredón por los forros,
asoman los abejorros.

Ma ecco uscire in processione
gli insettucci dal coltrone

Somnia iucunda sunt.
Scarabaei veniunt.

Schon faßt einer, der voran,
Onkel Fritzens Nase an.

One has reached the gap and goes
Straight across to Uncle's nose.

Le chef de meute grimpe alors
Sur le nez de l'oncle qui dort.

El primero de la fila,
por la nariz se le enfila.

e uno issarsi senza fretta
del suo naso sulla vetta.

Ecce hostium incessus;
Primus nasum est aggressus.

«Bau!» – schreit er – «Was ist das hier?»
Und erfaßt das Ungetier.

«Fooh!» he cries, «What's up here? Ugh!»
In his hand a monster bug.

«Hou! fait-il. O surprise infecte?!»
Et saisit cet horrible insecte.

«¡Demonios! ¡Un vil insecto!»,
y captura al interfecto.

«Per la Peppa!» un urlo caccia,
acchiappando la bestiaccia.

«Vae, est bestiis affectus
Lectus», inquit experrectus

Und den Onkel, voller Grausen,
Sieht man aus dem Bette sausen.

Uncle, horrified at that,
Whips out like a scalded cat.

Et l'on voit l'oncle épouvanté
Hors de son lit précipité.

Luego, al ver que son legión,
le da un vuelco el corazón.

E vedendosi assediato,
giù dal letto difilato!

Et a bestiis coactus
Surgit nunc terrore tractus.

«Autsch!» – Schon wieder hat er einen
Im Genicke, an den Beinen.

Eek! still other beetles find
Spots above, beneath, behind;

Selon un notable dicton:
L'oncle est piqué des hannetons.

Los bichos, con malas artes,
lo acosan por todas partes,

Ne ha sul capo, ne ha in quel posto
che del capo è al polo opposto;

Scarabaeus maximus
Sedet in cervicibus.

Hin und her und rund herum
Kriecht es, fliegt es mit Gebrumm.

Bugs infest him, swoop, and buzz
Like some frisky, bristly fuzz.

Ça vole, bourdonne, voltige
A vous en donner le vertige.

zumban y revolotean,
hasta que al tío marean.

e a lui intorno, iih che ronzare,
in assalti da sfibrare!!

Ceteri omnes volitant,
Repunt, currunt, susurrant.

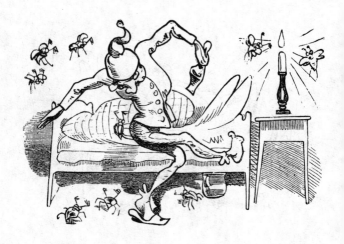

Onkel Fritz, in dieser Not,
Haut und trampelt alles tot.

In a frenzy Uncle Fritz
Stamps and tramples, slaps and hits.

Alors l'oncle Fritz qui voit rouge
Ecrabouille tout ce qui bouge.

En asuntos de emergencia,
se recurre a la violencia:

Ma zio Fritz, a ciabattate,
le bestiole ha sgominate,

Fridericus verberat,
Caedit, ferit, conculcat.

Guckste wohl! Jetzt ist's vorbei
Mit der Käferkrabbelei!

«There! You've done, I'm telling you,
All the crawling you will do!»

Voyons un peu! L'oncle a fait taire
Le grouillement coléoptère.

Después de aquel correctivo,
no queda abejorro vivo.

e di nuovo torna al cuccio,
nonostante il gran corruccio.

Vide faciem beati:
Omnes hostes sunt necati.

Onkel Fritz hat wieder Ruh
Und macht seine Augen zu.

Uncle, once again at rest,
Sleeps the slumber of the blest.

L'oncle ayant trouvé le repos
Enfin se rendort, les yeux clos.

Y tras tamaño ajetreo,
cae en brazos de Morfeo.

La sua pace ha ritrovato,
e dormir può ancor beato.

Tandem victor recreatur,
Somno corpus confirmatur.

Dieses war der fünfte Streich,
Doch der sechste folgt sogleich.

And was this their last trick? Wrong!
For the sixth comes right along.

Ceci fut la farce cinquième;
La sixième suivra de même.

La quinta ha sido fatal –
y la sexta, otra que tal...

Fino a qui la quinta baia.
Or la sesta, ancor più... gaia.

Talis dolus non amatur.
Tamen novus praeparatur.

SECHSTER STREICH

SIXTH TRICK

FARCE SIXIEME

SEXTA TRAVESURA

BAIA SESTA

DOLUS SEXTUS

In der schönen Osterzeit,
Wenn die frommen Bäckersleut
Viele süße Zuckersachen
Backen und zurechtemachen,
Wünschten Max und Moritz auch
Sich so etwas zum Gebrauch.

Eastertime, our Savior's Passion,
Pious baker-people fashion,
Bake, adorn, and then display
Pastry work on many a tray.
Which (to see it is to love it)
Max and Moritz also covet.

Lorsque le temps de Pâques vient,
Le pieux boulanger chrétien
Confectionne des sucreries,
Friandises et gâteries.
Maurice et Max seraient contents
D'en avoir aussi leur comptant.

Por Pascua, los pasteleros
amasan dulces caseros:
tartas, bollos, pastas finas,
bizcochos y golosinas.
Max y Móritz, que lo saben,
en sí de gozo no caben.

Che profumo vien nei giorni
di Quaresima dai forni!
Son roschette, pasticcini,
ciambelloni, biscottini...
Pippo e Peppo, senza soldi,
han pensieri manigoldi.

Homines pistorii
Probi sunt et placidi
Crustum dulce facientes
Gondientes et coquentes.
Nostri pueri amabant
Crusta et desiderabant.

Doch der Bäcker, mit Bedacht,
Hat das Backhaus zugemacht.

But the baker, as we see,
Keeps it under lock and key,

Le boulanger, quittant le four,
Ferme sa porte à double tour.

El pastelero, ojo alerta,
cierra con llave la puerta.

Ma il fornaio, ch'è prudente,
chiude a chiave, 'n accidente!

Quod hic pistor scit et audit,
Itaque pistrinum claudit.

Also, will hier einer stehlen,
Muß er durch den Schlot sich quälen.

Forcing customers to toil
Down the flue through soot and oil.

Donc, si quelqu'un veut pénétrer,
C'est par le haut qu'il doit entrer.

Así que, para robar,
por el tejado hay que entrar.

E così, chi vuol rubare,
dal camin deve passare.

Hinc consilium est capiendum:
Per caminum est rapiendum!

Ratsch! Da kommen die zwei Knaben
Durch den Schornstein, schwarz wie Raben.

Here a pair of clients goes
Down the chimney, black as crows.

Quand ils sortent du dévaloir,
Les deux gamins tombent tout noirs

Bajan los dos a la vez,
más negros, ¡ay!, que la pez,

Plam! I due ne sbucan fuori
che somigliano a due mori;

Ecce pueri non pigri!
Ambo sunt, ut corvi, nigri.

Puff! Sie fallen in die Kist',
Wo das Mehl darinnen ist.

Pooff! they fall into the bin
Baker keeps the flour in.

Par une étrange conjoncture
En plein dans le coffre à mouture.

y caen, de sopetón,
en la harina del arcón.

e – pluff! ploff! – ciascun rovina
nel casson della farina.

Sed in cistam deiactantur
Et farina maculantur.

Da! nun sind sie alle beide
Rund herum so weiß wie Kreide.

They retrieve themselves and walk
On their way as white as chalk.

Tiens! Mais les revoilà tout blancs
Comme la craie ou les merlans.

Salen, como es natural,
con aspecto fantasmal.

Sì che bianchi sono adesso
più che statue di gesso,

Ea re sunt albi facti,
Veluti e creta tracti.

Aber schon mit viel Vergnügen
Sehen sie die Brezeln liegen.

Sugared pretzels, neatly stacked,
Are the first to be attacked.

Tout joyeux, voici qu'on repère
Les bretzels sur une étagère

¡ Santo Dios ! ¡ Qué maravillas !
Tres suculentas rosquillas.

mentre abbordano – uuh, che belle ! –
tre dolcissime ciambelle.

Pellicientes sunt et mundae
Illae crustulae rotundae.

Knacks! – Da bricht der Stuhl entzwei;

Crunch! their stairway breaks in two;

Crac! La chaise se rompt soudain.

Cede la silla y, ¿qué pasa?:

Ma all'approccio – craà! – il sedione

Sella fracta cadunt tum

Schwapp! – Da liegen sie im Brei.

Flop! they flounder in the goo.

Floc! Les voilà dans le pétrin.

¡que aterrizan en la masa!

giù li manda nel madione,

In propinquum alveum
Plenum atque lubricum.

Ganz von Kuchenteig umhüllt
Stehn sie da als Jammerbild.

All encased in heavy dough,
They present a sight of woe.

Ils sont pleins de pâte à gâteau
Et ce spectacle n'est pas beau.

¡ Dos pícaros rebozados,
por culpa de sus pecados !

da dov'escono impastati
e più brutti dei dannati !

Lapsu territi et muti
Stant nunc massa involuti.

Gleich erscheint der Meister Bäcker
Und bemerkt die Zuckerlecker.

Worse, the baker now discovers
And pursues the pastry lovers;

Alors, pour ne rien arranger,
Survient le maître-boulanger.

Aparece el pastelero
y descubre el desafuero.

Nel frattempo – oh Dio! che guaio! –
adocchiati li ha il fornaio,

Pistor eos deprehendit;
Manus captaturas tendit.

Eins, zwei drei! – eh man's gedacht,
Sind zwei Brote draus gemacht.

And, resourceful stratagem,
Makes two handsome loaves of them.

Un, deux, trois, en un tournemain,
Des deux garçons il fait deux pains.

Por castigar sus desmanes,
hace con ellos dos panes.

e con quelle sue manacce
li trasforma in due focacce.

Cito pueros raptavit,
Duos panes fabricavit.

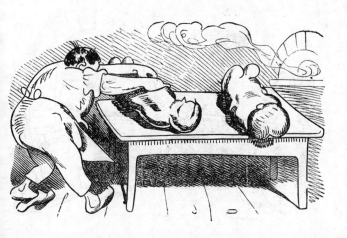

In dem Ofen glüht es noch –
Ruff! – damit ins Ofenloch!

Good! the oven's still aglow:
Shloop! into the hole they go;

Comme le four est encor chaud,
Hop! Il les y met aussitôt.

Y para mayor bochorno –
¡los introduce en el horno!

Poi li mette, lieto e baldo,
dentro il forno ancora caldo,

Neque inconstanter ludit:
Pueros in furnum trudit.

Ruff! – man zieht sie aus der Glut;
Denn nun sind sie braun und gut.

Shloop! and presently are raked
Out, for they are good and baked.

Il défourne au moment propice:
Ils sont couleur de pain d'épices.

Aquellos dos condenados,
reaparecen bien dorados.

finché, dopo alcuni istanti,
ve li toglie bei croccanti.

Furni aestu nunc coquuntur,
Cocti demum extrahuntur.

Jeder denkt, die sind perdü!
Aber nein! – noch leben sie.
Knusper, knasper! – wie zwei Mäuse
Fressen sie durch das Gehäuse;

Everyone must think they've had it;
No! they're still alive and at it!
Crisky-crusk, like mice a rusk,
They gnaw off the crispy husk.

Chacun de penser: ils sont cuits!
Mais ce n'est pas pour aujourd'hui.
Tous deux en grignotant la croûte,
De la fuite s'ouvrent la route.

¿Requiescant in pace? ¿Amén?
¡Nada de eso! ¡Les fue bien...!
Salen como dos ratones,
royendo los cascarones.

«Son spacciati!», tu dirai.
Macché! Vivon più che mai!
E anzi, roso – oh gran miracolo! –
il dolcissimo abitacolo,

Noli mortuos lugere!
Potes alacres videre.
Domicilium perforant;
Partem crusti devorant.

Und der Meister Bäcker schrie:
«Ach herrje! da laufen sie!»

Baker sees and hollers: «Hey!!»
But they're off and clean away.

Le maître-boulanger surpris
S'écrie: «Ah zut! Ils sont partis!»

Y el pastelero, asombrado,
se lamenta: «¡Han escapado!»

di carriera infilan l'uscio,
al bestion lasciando... il guscio!

Nunc e velamento sunt
Ridentesque fugiunt.

Dieses war der sechste Streich,
Doch der letzte folgt sogleich.

And was this their last trick? Wrong!
But the last comes right along!

Telle fut leur farce sixième;
Venons-en bien vite à l'ultième.

La sexta ha sido fatal –
la postrera, otra que tal...

Fino a qui la sesta baia.
E ora l'ultima... Ah, non gaia!

Sextus dolus narrabatur,
Nunc extremus praeparatur.

LETZTER STREICH

Max und Moritz, wehe euch!
Jetzt kommt euer letzter Streich!

SEVENTH TRICK

Max und Moritz, woe is you!
For your final trick is due.

FARCE ULTIEME

Malheur à vous, Max et Maurice!
Il est temps que cela finisse.

ULTIMA TRAVESURA

¡Ay, Max y Móritz, temblad!
¡Llegó la hora cruel, rezad!

BAIA ULTIMA

Sì, finita è la burletta
per la perfida coppietta!

DOLUS ULTIMUS

Dolus hic dat nihil spei,
Pueris est perniciei.

Wozu müssen auch die beiden
Löcher in die Säcke schneiden?

What exactly made the two
Slit these sacks?? I wish I knew.

Pourquoi voit-on les deux complices
Faire à deux sacs des orifices?

Muy ufanos, los bellacos,
andan destripando sacos,

Pippo e Peppo, i due macacchi,
perché or forano quei sacchi?

Modo incredibili
Saccos laedunt rustici.

Seht, da trägt der Bauer Mecke
Einen seiner Maltersäcke.

Here goes Farmer Klein, a sack
Full of malt-grain on his back.

Voyez: Mecke, le paysan,
Ici transporte un sac pesant.

que Hisidren, el labrador,
arrastra con su sudor,

To', già un ne ha tolto in spalla
il bifolco Caracalla.

Magna cum fiducia
Saccum fert agricola.

Aber kaum daß er von hinnen,
Fängt das Korn schon an zu rinnen.

Just as he is off with it,
Grain starts leaking from the slit;

A peine s'est-il ébranlé
Que le grain par terre a coulé.

sin sospechar que los granos,
se le escurren de las manos.

Ma – frii! – il sacco s'è sbuzzato,
e del grano s'è svuotato.

Quae dum caute peraguntur,
Grana lente delabuntur.

Und verwundert steht und spricht er:
«Zapperment! Dat Ding werd lichter!»

And he stops, amazed at this,
Mumbling: «Strike me! what's amiss?»

Surpris, il s'arrête et prononce:
«Sacrédié! Le sac se défonce!»

«¡Este saco pierde peso!»
– ruge – «¡Me las dan con queso!»

A sentirlo leggerino
volge il capo il contadino,

«Saccus», inquit consternatus,
«Miro modo est levatus.»

Hei! Da sieht er voller Freude
Max und Moritz im Getreide.

Ah! He tracks with gleeful guile
Max and Moritz in that pile.

Joyeux, il aperçoit soudain
Max et Maurice dans le grain.

Descubriendo al poco rato,
dónde le aprieta el zapato.

e scoperti i due furfanti,
per punirli si fa avanti.

Duos repperit – io! –
Medio in cumulo.

Rabs! – in seinen großen Sack
Schaufelt er das Lumpenpack.

Swoop! he scoops the worthless pack
Right into the handy sack.

Avec sa pelle, il met – ric! rac! –
Les deux galopins dans le sac.

Hombre de pocos aguantes,
ensaca a los dos tunantes

Un due tre! con la cucchiaia
in un sacco ora li appaia,

Saccum statim vacuefecit,
Duos pueros iniecit.

Max und Moritz wird es schwüle,
Denn nun geht es nach der Mühle.

Max and Moritz feel quite ill,
For this way leads to the mill.

Ils sentent que ça tourne mal :
On se rend au moulin banal.

y se los lleva al molino,
que es la rueda del destino.

e ad entrambi, uhi che spaghetto
quando san dov'è diretto ! !

Tradit tum cum gaudio
Pueros molario.

«Meister Müller, he, heran!
Mahl er das, so schnell er kann!»

«Howdy, Master Miller! Hey,
Will you grind this, right away?»

«Maître-meunier, approchez voir,
Et moulez-moi ça sans retard.»

«¡Buenos días, molinero!
¡Moledme este saco entero!»

«Molinar, mi macinate
– chiede – queste mie derrate?»

Intrans nunc in officinam
«Statim», inquit, «fac farinam!»

138

«Her damit!» Und in den Trichter
Schüttelt er die Bösewichter.

«Right you are!» He dumps the lot
Down into the feeder slot.

«Allons-y!» Vlan! Dans la trémie,
Il balance la paire amie.

«¡Trae acá!» Y de muy mal genio,
los precipita al ingenio.

«Date qua!» E quegli alloggia
tutti e due nella tramoggia.

Et scelesti vera re
Infunduntur machinae.

Rickeracke! Rickeracke!
Geht die Mühle mit Geknacke.

Rickle-rackle, rickle-rackle,
Hear the millstones grind and crackle.

Le moulin tourne: tic, tac, toc!
Les meules moulent: crac, cric, croc!

El molino, con estruendo,
triqui-traque, va moliendo...

Trac trac trac! già è triturato
l'uno e l'altro disgraziato,

Frangit mola, frangit mola!
Manet mox farina sola.

Hier kann man sie noch erblicken
Fein geschroten und in Stücken.

Here is what the mill releases:
Still themselves, but all in pieces.

On voit ici les garnements
Moulus fin en petits fragments

Aquí yacen, bien compuestos,
de Max y Móritz los restos.

che in minuzzoli – incredibile! –
resta ancor riconoscibile.

Vae, vae! Ambo iacent fracti
Et in frustula coacti.

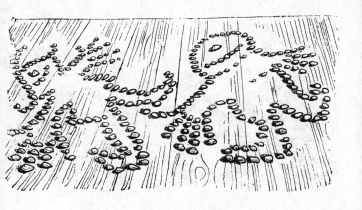

Doch sogleich verzehret sie
Meister Müllers Federvieh.

And the miller's ducks are there
To devour the loose-knit pair.

Qui vont aussitôt rassasier
Les canards du maître-meunier.

Hasta que a tontas y a locas,
se los meriendan las ocas.

A finir . . . la serenata,
pensan le oche : e che panciata ! !

Quid habemus reliquum?
Nutrimentum anatum !

SCHLUSS

CONCLUSION

CONCLUSION

EPÍLOGO

EPILOGO

CONCLUSIO

Als man dies im Dorf erfuhr,
War von Trauer keine Spur.
Witwe Bolte, mild und weich,
Sprach: «Sieh da, ich dacht es gleich!»
«Ja, ja, ja!» rief Meister Böck
«Bosheit ist kein Lebenszweck!»
Drauf so sprach Herr Lehrer Lämpel:
«Dies ist wieder ein Exempel!»
«Freilich!» meint der Zuckerbäcker,
«Warum ist der Mensch so lecker!»
Selbst der gute Onkel Fritze
Sprach: «Das kommt von dumme Witze!»
Doch der brave Bauersmann
Dachte: «Wat geiht meck dat an!»
Kurz im ganzen Ort herum
Ging ein freudiges Gebrumm:
«Gott sei Dank! Nun ist's vorbei
Mit der Übeltäterei!!»

Those who learned this on the morrow
Gave no slightest sign of sorrow.
Widow Bolte shook her head,
Clucking: «As I always said...»
«Serves them right!» said Master Billy;
«Now it's they who're looking silly.»
«Clearly,» nodded Teacher Lampel,
«Here we have one more example!»
«Yep!» remarked the pastry cook,
«Never leap before you look.»
Even Uncle Fritz said: «Hem!
Stupid jokes! For once, on them!»
This from worthy Farmer Klein:
«Ain't no business of mine...»
That entire place, in short,
Buzzed with joy at the report;
And they offered heartfelt thanks
For deliverance from pranks!

Quand on le sut dans le village,
Pas une âme n'en prit ombrage.
La veuve Turlandu dit, tendre :
«Hélas ! Il fallait s'y attendre !»
Lebouc opine : «C'est fatal
Quand on ne vit que pour le mal !»
Monsieur l'instituteur Mouton :
«Encore un coup, l'exemple est bon !»
Le boulanger : «Ma foi, vraiment,
Pourquoi l'homme est-il si gourmand ?»
Même le bon oncle Fritz dit :
«Ça vient d'être trop dégourdi.»
Et le brave homme de la terre
Pense à part lui : «Qu'en ai-je à faire ?»
Bref, dans le village, en tous lieux,
S'élève un grognement joyeux :
«Loué soit Dieu dont la clémence
Mit fin à cette malfaisance !»

Del pueblo en todo el confín,
nadie lamentó su fin.
La viuda, mientras fregaba,
suspiró : «Lo imaginaba».
«¡ Siempre fueron un desastre !»,
gruñó Segismundo, el sastre.
Maese Petrus, muy prolijo,
«¡ que sirva de ejemplo !», dijo,
y el pastelero añadió :
«¡ por golosos, digo yo !»
Hasta su tío carnal
sentenció : «Tal para cual».
Hisidren, con retintín,
pensó también : «¡ A mí, plin !»
Todo el pueblo, resumiendo,
fue alegrándose in crescendo :
¡ Se acabó lo que se daba !
¡¡ Quién mal anda, mal acaba ! !

Quando ciò s'udì in paese,
nessun pianse o se la prese.
«Naturale», disse a tutti,
zuccherosa, la Cornutti.
«Chi la fa l'aspetti, te'!»,
fece il nostro mastro Beck.
«Troppo ghiotti, questo è il guaio!»,
sentenziò, brusco, il fornaio.
Quanto al professor Lampione:
«È un esempio! Un esempione!».
«Eran birbe, sì sì sì!
Ben gli sta!», disse zio Fritz.
E il bifolco: «Oh guarda guarda!
Ma... io mica mi riguarda!».
Pel paese, in conclusione,
fu una gran liberazione:
che così, Dio sia lodato,
da altre beffe fu salvato.

Fama mox per vicum ruit.
Ibi nullus luctus fuit.
Bolte dicit praesagisse
Se futurum, vel scivisse.
Boecius: «Manet lex moralis:
Est malitia fatalis.»
Lampulus: «Exemplum docet
Neque unquam bonis nocet.»
Pistor: «Ne sis stupidus,
Dulcium rerum cupidus!»
Fridericus: «Malus iocus
Est calamitatis focus.»
Denique agricola:
«Nihil interest mea.»
Omni loco murmuratur
Et sententia promulgatur:
Vicit nunc iustitia,
Periit malitia.

Nachwort

«Jeder denkt: die sind perdü! Aber nein – noch leben sie.» – Die Geschichte ihrer Streiche ist eines der bekanntesten deutschen Kinderbücher geblieben. Die Auflagenhöhen von neueren Nachdrucken und die Werbewirksamkeit des Doppelporträts für verschiedenste Artikel zeigen, daß im deutschen Sprachraum die Beliebtheit der zwei Knaben und ihrer Streiche andauert – auch wenn sich in einer Zeit der Sprechblasen-Comics (an deren Wiege Max und Moritz als Paten gestanden haben) langsam etwas Staub auf die gar nicht so idyllische dörfliche Umwelt des 19. Jahrhunderts senkt.

Weniger blendend ist es um ihren internationalen Ruhm bestellt. Zwar ist die Zahl der Übersetzungen beeindruckend, doch kann sie sich nicht entfernt mit der von Alice, Asterix, Gulliver, Heidi, Pinocchio, Robinson oder gar von Mickey Mouse und Donald Duck und ihrem Anhang messen. Ihren Konkurrenten Struwwelpeter allerdings, mit dem sie im Ausland gelegentlich verwechselt werden, schlagen Max und Moritz weit aus dem Felde. (Genaue Vergleichszahlen zu Auflagen und Übersetzungen liegen national wie international nicht vor; die Rezeptions- und Buchmarktforschung scheint diesen Bereich vernachlässigt zu haben. Unentbehrlich für die neuere Zeit – wenn auch unvollständig – ist der *Index Translationum*, 1933–39, 1945–).

Einigermaßen verläßliche Angaben zu Übersetzungen von *Max und Moritz* gibt es erst seit meinen oft mühevollen und nicht immer systematischen Erkundungen, die eine noch lückenhafte Liste von über 200 Übersetzungen in mehr als 50 Sprachen ergeben haben. Zu einem internationalen Vergleich bietet sich besonders *Alice in Wonderland* an: Es ist ein merkwürdiger – meines Wissens bisher nicht erwähnter – Zufall, daß

Wilhelm Busch und Lewis Carroll in demselben Jahr geboren wurden (15. 4. 1832/27. 1. 1832) und daß das bekannteste Buch beider Autoren – das jeweils zu den beliebtesten Kinderbüchern ihrer Nationalliteraturen zählt – 1865 zum ersten Mal gedruckt erschien. So grundverschieden beide Bücher und Autoren auch sind, so gibt es auch einige persönliche Übereinstimmungen: beide waren eigenbrötlerische Junggesellen von sprachlichem Witz, mit zeichnerischer Begabung und mit einer ausgeprägten Neigung zur Malerei (Busch) und zur Photographie (Carroll).

Für *Alice* liegt mit Weaver (1964) eine auch für die frühe Zeit recht vollständige Liste von Übersetzungen vor: Dabei kam es Weaver zustatten, daß Lewis Caroll sich selbst sehr um Übersetzungen seiner *Alice* bemüht hat und daß das Archiv seines Verlages erhalten ist – während eine ähnliche Anteilnahme von Wilhelm Busch nicht bezeugt ist und das Archiv des Verlages Braun & Schneider im Krieg zerstört wurde. Besonders die Liste der frühen Übersetzungen von *Max und Moritz* ist deshalb unvollständig (für Ergänzungen wäre ich dankbar!). Wahrscheinlich ist aber, daß zumindest Übersetzungen in die folgenden Sprachen noch zu Lebzeiten des Autors erschienen sind: Dänisch 1866; Englisch 1871; 1874; 1897; Japanisch 1887; Wallonisch 1889; Russisch 1890; Ungarisch 1895; Hebräisch 1898; Lettisch 1904; Polnisch (und Portugiesisch?) 1905; Französisch und Neugriechisch (vor 1908).

Sowohl *Max und Moritz* als auch *Alice* sind europäische Bücher, die zumindest bis 1940 kaum in «exotischen» Übersetzungen erschienen; wegen der geographischen Nachbarschaft ist dabei verständlich, daß *Alice* (nicht aber *Max und Moritz*) ins Walisische und *Max und Moritz* (nicht aber *Alice*) in drei nordfriesische und sieben rätoromanisch-ladinische Dialekte übersetzt wurden (Irrtum vorbehalten!). Eine Welle von Übersetzungen von *Alice* in verschiedene Sprachen des britischen Weltreichs, wie Suaheli, Hindi oder Singhalesisch, ergab sich erst in neuerer Zeit. Abweichungen von dieser Gebundenheit an die alte Welt lassen sich, was *Max und Moritz* angeht, meist leicht erklären, so die Übersetzungen (in europäische Sprachen) in Nord- und Südamerika und in Israel, wohin *Max und Moritz* im Gepäck Deutschsprachiger mitgereist sind, die die Geschichte dann ihren neuen Landsleuten zugänglich machen wollten. Eigenartig ist dagegen die große Anzahl von fünf Übersetzungen ins Japanische, darunter die sehr frühe von 1887 in lateinischer Schrift.

Gerade in letzter Zeit werden anscheinend wieder mehr neue Übersetzungen von *Max und Moritz* gemacht: der *Index Translationum* verzeichnet 26 für die Jahre 1945–76, darunter Übersetzungen ins Afrikaans, Armenische und Ladinische; drei nordfriesische Versionen erschienen 1980, und die erste isländische 1981. Hinzu kommen die Übertragungen, die ich für drei Sammelausgaben für den Helmut Buske Verlag, Hamburg, selbst angeregt habe: Sammlungen mit Übertragungen in deutsche Dialekte und in englisch-schottische Dialekte und Kreolsprachen sind 1982 und 1986 erschienen; eine weitere Sammlung mit romanischen Sprachen ist in Vorbereitung. Aber diese Zahlen nehmen sich doch bescheiden aus neben den mehr als hundert Neuübersetzungen, die sich für *Alice* im *Index* für die Jahren 1967–76 finden – auch wenn einige davon Übertragungen der Disney-Version oder andere Bearbeitungen sind.

Auffällig ist für beide Bücher die Zahl der Mehrfachübersetzungen; für *Alice* gibt es allein je 15–20 verschiedene Übersetzungen ins Deutsche, Französische, Italienische und Japanische. Aber auch für *Max und Moritz* sind zwölf englische, neun russische, sieben lateinische und spanische, sechs niederländische und je fünf französische, hebräische und japanische Übersetzungen eindrucksvoll – und diese Zahlen würden sich noch erhöhen, wenn nicht-standardsprachliche Versionen mitgezählt würden. Nicht immer sind Übersetzer sich bewußt, daß schon eine Wiedergabe in ihrer Sprache vorliegt: So fing Arthur Klein 1958 eine neue Übersetzung von *Max und Moritz* ins Englische an, bis ihm der Zufall die älteste englische Übersetzung in die Hände spielte. Und noch die fünfte niederländische Übersetzung von David Hartsema behauptet im Titel, die erste Wiedergabe zu sein. Nur gelegentlich ist die Unzufriedenheit mit den vorhandenen Fassungen zum Ansporn für einen neuen Versuch geworden – der dann auch nicht immer besser gerät als seine Vorgänger. Die Zahl der Übersetzungen braucht kein Anzeichen für Bekanntheit oder Beliebtheit eines literarischen Werkes zu sein – oft ist es gerade umgekehrt: sobald sich erst einmal eine (gute) Übertragung durchgesetzt hat, ist wenig Raum für neue Versuche.

Übersetzungsprobleme

Die Unmöglichkeit jeglicher Übersetzung ist bekannt und oft genug in der Literatur behandelt worden. (Wie übersetzt man das Wortspiel *traduttore, traditore,* das eben dieses Problem ausdrückt?) Und doch sind Übersetzungen immer wieder versucht worden. Daß in der modernen Welt die Zahl der übersetzten Werke die der Originalausgaben beträchtlich übersteigt,

entspringt zum Teil der puren Notwendigkeit (besonders bei Fachlitera-
tur); zum Teil kommt es aber auch daher, daß Übersetzer vor allem
literarischer Werke sich herausgefordert fühlen, wenigstens eine Annähe-
rung an die ideale Übersetzung zu leisten.

Schon Schleiermacher hat (mit Bezug auf eine Übersetzung klassischer
Autoren in moderne Sprachen) gesehen und klar aufgezeigt, daß es zwei
gegensätzliche Möglichkeiten für den Übersetzer gibt: den Text auf den
Leser hin zu bewegen oder aber den Leser auf das Original hin. Im ersten
Fall muß die Forderung lauten, eine Übersetzung müsse sich lesen wie ein
Original; im zweiten: das Original müsse immer durch die Übersetzung
hindurchscheinen. In der Spannung zwischen Treue und Freiheit, zwischen
Linguistik und Ästhetik ist schon mancher Übersetzer gescheitert,
besonders wenn er die beiden Vorgehensweisen mischte.

Es bestehen berechtigte Zweifel, ob sich alle Faktoren, die bei einer
literarischen Übersetzung im Spiel sind, systematisieren lassen. Es gibt
aber Voraussetzungen und Vorentscheidungen, die bedacht sein wollen.
Wenn man von der selbstverständlichen (aber nicht immer gegebenen)
Voraussetzung ausgeht, daß der Übersetzer den Originaltext verstanden
haben und in der Ausgangs- und Zielsprache gleichermaßen zu Hause sein
muß, lassen sich die Schwierigkeiten, Wilhelm Busch zu übersetzen, durch
die folgenden Hinweise verdeutlichen:

Grundsätzliche Entscheidungen

Soll der Text vor allem von Englisch-(oder Französisch-, Spanisch)-
Sprachigen, oder soll er von Deutschen gelesen werden – oder allgemeiner:
eher von Lesern in ihrer Muttersprache oder in einer Fremdsprache?

Ist der Text für Kinder oder für Erwachsene gedacht?

Soll die Übersetzung im 19. Jahrhundert angesiedelt sein, auch
sprachlich, oder schreibt der Übersetzer eine Fassung für die Gegenwart (so
wie es Wilhelm Busch für seine Gegenwart tat)? Im ersten Fall würde die
Distanz mitübersetzt, die auch ein deutscher Leser heute zum Original hat,
und die Übersetzung würde sich mit der Welt der Zeichnungen im
Einklang befinden. Sein Gefühl für sprachlichen Witz kann der Übersetzer
aber wohl nur im zweiten Fall voll zur Geltung kommen lassen.

Soll der Text oder sollen die Zeichnungen übersetzt werden? Im Idealfall
soll beides geleistet werden, aber einzelne Zeilen zwingen den Übersetzer
immer wieder zu einer Entscheidung, ob er sich mehr an den Text oder

mehr an die Zeichnung halten soll. Unter keinen Umständen darf der übersetzte Text den Zeichnungen widersprechen. Dieses Gebot und die Tatsache, daß Wilhelm Busch selbst zuerst die Zeichnungen entworfen, dann den Text verfaßt und damit – wenn man so will – aus einem Zeichensystem ins andere übersetzt hat, sprechen dafür, daß der Übersetzer sich in der Tat von den Zeichnungen her anregen lassen darf.

Formale Probleme (Vgl. Levý 1969)

Für einen deutschen Leser (oder jedenfalls für den, der Wilhelm Busch mag) liegt ein großer Reiz seiner Dichtung in der Natürlichkeit, mit der sich bei ihm umgangssprachliche Diktion, metrische Glätte und ungezwungene Reime zu oft sprichwörtlicher Prägnanz zusammenfinden. Ein Übersetzer steht aber vielleicht schon bei Reim und Metrum vor unübersteigbaren Hindernissen:

Der Reim ist für die modernen europäischen Sprachen ein geringeres Problem, und nur die japanischen Übersetzungen, eine Wiedergabe in lateinischen Hexametern (Paoli 1959) und eine Version in altenglischen stabenden Langzeilen versuchen es ohne Reim. Die Verfremdung ist dort aber immer so stark, daß von Wilhelm Busch wenig bleibt. Schwierigkeiten ergeben sich aber auch bei der Wiedergabe des Wechsels von männlichem und weiblichem Reim im Spanischen und Italienischen (die wegen ihres Betonungsmusters üblicherweise weiblich reimen) und für das Englische (wo weibliche Reime selten sind). Eine Sonderstellung nimmt das Spanische dadurch ein, daß hier Assonanzen (Gleichklang nur der Vokale) als vollgültige Reime gelten: V. Canicios reine Reime sind also ein Zugeständnis an das Original!

Das Metrum bietet grundsätzliche Schwierigkeiten dadurch, daß die dichterische Tradition in den romanischen Sprachen silbenzählend und nicht auf den Wechsel von Hebungen und Senkungen ausgerichtet ist. Das hat zur Folge, daß entweder das Original nicht genau wiedergegeben wird oder daß von der nationalen Tradition abgewichen werden muß. Aber auch im Englischen gibt es ein metrisches Problem, weil der vierhebige Trochäus zwar möglich, aber doch wenig gebräuchlich ist. Unerwarteterweise ergeben sich die geringsten Schwierigkeiten hier für das Lateinische – wenn der Übersetzer sich entschließt, eine mittelalterlich-lateinische Fassung herzustellen: aus dieser Literatur ist das uns so vertraute Metrum hervorgegangen.

Stilistische Probleme

Es kann hier keine eingehende Übersetzungskritik der Versionen in den fünf vertretenen Sprachen gegeben werden; dazu bin ich als Deutscher auch gar nicht kompetent. Es scheint mir aber richtig, daß ein Übersetzer die umgangssprachliche sprichwörtliche Redeweise Wilhelm Buschs nachahmt, indem er vorhandene Redewendungen der Zielsprache ausgiebig gebraucht. Er sollte sich wohl auch nicht scheuen, Wilhelm Buschs Witz weiterzudenken. Selbst wörtliche oder verfremdete Zitate können in einer Übersetzung für Erwachsene «im Sinne Wilhelm Buschs» sein und den spielerischen Reiz erhöhen. Andererseits haben die Übersetzer wohl mit Recht davon abgesehen, Meckes Plattdeutsch als regionale/soziale Sprachform wiederzugeben, etwa durch Wallonisch, Katalanisch oder einen ländlichen Dialekt aus Yorkshire. Eine eigene Schwierigkeit enthält das Englische, wo der Sprachwitz eher im romanisch-lateinischen Wortschatz gesucht wird – also in der Stilebene und im Musikalischen der Diktion von Wilhelm Busch nicht entspricht.

Ein oft besprochenes Problem sind die Namen. Sie machen, im Sinne Schleiermachers, die grundsätzliche Entscheidung des Übersetzers noch einmal deutlich, wenn etwa die Helden der Geschichte im Englischen getreu als *Max and Moritz* oder zunehmend ‹übersetzt› als *Max and Maurice, Mac and Murray* oder *Dod and Davie* (schottisch) erscheinen. Eine weitgehende Ersetzung hat in unserem Buch nur G. Caproni mit *Pippo e Peppo* versucht, aber eine Auswahl von Titeln anderer Übersetzungen zeigt, welche Möglichkeiten genutzt werden können: *Ali-Veli, Gad ve-Dan, Jake un Johnny, Jan a Jíra, Jon e Din, Karl og Peter, Mus et Mopsus, Notl un Motl, Pire e Paul, Roque y Juan, Tjira i Spira, Vít a Vena, Wiś i Wacek...*

Vielleicht erhellt besser als alle theoretischen Überlegungen ein Vergleich verschiedener Wiedergaben derselben Textstelle die Möglichkeiten und Grenzen der Übersetzung. Man vergleiche die vier Übertragungen des Anfangs des vierten Streiches ins Englische mit der Version Arndts in unserem Buch; unter den verfügbaren sind hier die besseren ausgesucht – und doch liegt der Schluß nahe, das die *ideale* Übersetzung erst noch gefunden werden muß:

Charles T. Brooks 1871

An old saw runs somewhat so:
Man must learn while here below.
Not alone the A, B, C,
Raises man in dignity;
Not alone in reading, writing,
Reason finds a work inviting;
Not alone to solve the double
Rule of Three shall man take trouble;
But must hear with pleasure Sages
Teach the wisdom of the ages.
Of this wisdom an example
To the world was Master Lämpel.
For this cause, to Max and Moritz
This man was the chief of horrors;
For a boy who loves bad tricks
Wisdom's friendship never seeks.

Anonym 1874, 1897, 1925

Deny the statement if you can,
That something must be learnt by man.
Not only simple A.B.C.
Can teach the world morality;
'Tis not enough to read and write,
For man endowed with reason's light;
Not only to arithmetic,
With hard wrought labour must he stick;
But he must learn with joy as well,
The truths that wisdom has to tell.
This, scientifically too,
Could Doctor Whackem help to do.
But Max and Moritz – pretty pair –
For this cause Whackem could not bear
As he who to such mischief looks
For pleasure, can't attend to books.

Walter Roome 1961

To this dictum we must cling:
man has got to learn something.
Not alone the ABC
raises you to some degree,
not alone to read and write
makes a human being bright,
not alone 'rithmetic is
basis for a life of bliss;
but to wisdom's teachings you
must with pleasure listen too.
Teacher Temple's competence
taught to do so with good sense.
Max and Maurice disagreed,
so they hated him indeed;
they like nasty tricks, therefore
teachers are what they ignore.

Karl E. Dietrich 1974

'Tis a law in every nation:
People need an education.
Not alone the ABC
raises man to dignity,
not alone to read and write
is considered erudite,
and not just to count and figure
should one undertake with vigor,
but it's also wisdom's treasure
that should be absorbed with pleasure.
To effect this erudition,
that was Teacher Laempel's mission.
Max and Moritz, this bad pair,
had no use for him whate'er,
since all mischief-perpetrators
do not like their educators.

Übersetzungen ins Lateinische

Das Lateinische steht hier als Sonderfall für das Übersetzen in tote
Sprachen, dessen Ergebnis kein Muttersprachler auf grammatische und
stilistische Angemessenheit beurteilen kann, das aber doch, von Philologen
für Philologen – und natürlich auch für Lateinschüler und «Alte Lateiner»
–, einen besonderen Reiz besitzt. Eine grundsätzliche Entscheidung besteht
darin, welches Latein gewählt werden soll – so klassisch wie möglich oder
gemäßigtes Neulatein? Das Textstück, in dem *Tabak, Rauchen, Pfeife* und
Pulver vorkommen (und das auf die oben verglichene Passage folgt) zeigt
vielleicht am deutlichsten die Schwierigkeiten und Möglichkeiten: nicht
zufällig ist Paoli im Metrum *und* im Wortschatz gleichermaßen am
klassischen Latein orientiert:

Lenard 1946	Schmied 1964
Fuit clarus hic magister	Erat doctor strenuus
Fumisugii minister	Tabaco obnoxius,
Quod, si non virtutis signum	Quam rem tu haud dubie
Tamen vitium est benignum	Functo gravi munere
Non oportet denegari	Seniori optimo
Immo potest excusari ...	Tribuas ex animo.
Crucis offulae sinistri	Max et Moritz impigre
Infumibulo magistri	Student hunc eludere,
Avidi insidiarum	Si per fumisugium
Dolum destinant amarum.	Faciant quem impetum.

Paoli 1959

Plurima quae vitae prosint docet ore severo,
Nec tamen ille putat scelus indulgere tabaco,
Cum repetit tandem, consueto munere functus,
Angustas aedes, ubi cannula longa quiescit
Fumum lenta trahens, senibus quae sola voluptas
(Hanc Itali dicunt vulgato nomine «pipam»).
Sed pueri norunt in noxam vertere fumum;

Steindl 1973

Dicunt istos cognovisse
Hunc fumare consuevisse.
Delectatur otio
Et, cum a negotio
Huic reverti placuit,
Fumum flare studuit.

Es wäre vermessen zu glauben, daß die hier abgedruckte Auswahl die gültigen Übersetzungen von *Max und Moritz* darstellt, eines Textes, der allzu leicht unterschätzt wird. Die Übersetzer und der Herausgeber hoffen aber, daß nicht allzu viele Leser nach der Lektüre dieser Ausgabe resignierend feststellen, daß Wilhelm Busch eben unübersetzbar ist. Zu einem kann die Sammlung mit Sicherheit beitragen: Wilhelm Busch im Ausland bekannter zu machen, als er es ist – denn es gibt wenige Menschen in der (westlichen) Welt, die lesen können und die nicht eine der hier vertretenen Sprachen verstünden.

Als dies Buchprojekt im Oktober 1981 beschlossen wurde, stellte sich heraus, daß die vorhandenen Übersetzungen ins Französische, Spanische und Russische für einen Abdruck nicht in Frage kamen. Da für das Russische eine neue Übersetzung nicht zustandekam, mußte auf diese Sprache in der Sammlung verzichtet werden. Daß die zwei anderen Sprachen vertreten sind, ist Jean Amsler und Víctor Canicio zu danken, die bereit waren, neue Übersetzungen für diese Sammlung zu verfassen.

Für wertvolle Unterstützung bei der Anregung, Auswahl und Kommentierung der fünf Übersetzungen möchte ich vielen Helfern, besonders Kollegen an der Universität Heidelberg, herzlich danken.

Manfred Görlach 1982/1992

Zu den Übersetzern und zum Herausgeber

Jean AMSLER, 1914 in Beaune in Burgund geboren, stammt aus einer vor Generationen aus dem schweizerischen Aargau eingewanderten Handwerkerfamilie. Er ist Deutschlehrer (im Ruhestand), Agrégé de l'Université, und besonders durch seine Günter-Grass-Übersetzung im Verlag du Seuil bekanntgeworden.

Walter W. ARNDT wurde 1916 in Istanbul geboren, besuchte das Gymnasium in Breslau, studierte in Oxford und in Polen Wirtschaftswissenschaften, Politikwissenschaft und Slavistik, geriet in deutsche Kriegsgefangenschaft, arbeitete im polnischen Widerstand und gelangte nach wechselvollen Kriegsjahren 1949 in die USA, wo er seitdem als Hochschullehrer für moderne Sprachen und als Übersetzer von russischer und deutscher Literatur wirkt. Sein *Max und Moritz* ist Teil einer größeren Sammlung, die 1982 im Verlag University of California Press unter dem Titel *The Genius of Wilhelm Busch* erschienen ist.

Víctor CANICIO, 1937 in Barcelona geboren, spricht und schreibt Spanisch und Deutsch. Seit 1960 in Deutschland, ist er als Spanischlehrer, Mitarbeiter bei Rundfunk und Fernsehen und besonders als Übersetzer von Peter Bichsel, Heinrich Böll, Peter Härtling, Peter Handke, Günter Herburger und Franz Xaver Kroetz bekanntgeworden (meist Barcelona: Editorial Laia). Das Schicksal der spanischen Gastarbeiter in Deutschland schildert sein Roman *Vida de un Emigrante Español* (Barcelona, 1979).

Giorgio CAPRONI wurde 1912 in Livorno geboren und lebte lange in Genua und Rom. Er ist als Mitarbeiter bei zahlreichen literarischen Zeitschriften und durch seine Gedichte und Erzählungen bekanntgeworden, in denen Autobiographisches und die ligurische Landschaft im Vordergrund stehen (seine gesammelten Werke erschienen als *Il passaggio di Enea*. Florenz, 1956). An Übersetzungen ist besonders seine italienische Version von Prousts *A la recherche du temps perdu* (1951) zu erwähnen.

Gotthold Adalbert Ludwig MERTEN, 1866 in Stetten v. d. Rhön geboren, studierte in Jena und Leipzig Theologie und Pädagogik, promovierte 1901 in Jena, war nach verschiedenen Stellungen im Schuldienst 1911–31

Schulleiter in Wilhelmshaven und lebte von 1932 bis zu seinem Tode 1946 im Ruhestand in Hamburg. Neben seinem 1932 anonym bei Braun und Schneider erschienenen *Max et Moritz* verfaßte er eine Reihe weiterer neulateinischer Werke. Seit 1954, als Braun & Schneider E. Steindls Version herausbrachte, ist Mertens Übersetzung nicht mehr greifbar gewesen (meine Angaben folgen Weitzel 1970).

Manfred GÖRLACH, geboren 1937 in Berlin, Studium (Englisch/Latein) in Berlin, Durham, Heidelberg und Oxford, Promotion 1970. Seit 1967 am Anglistischen Seminar der Universität Heidelberg (Englische Sprachwissenschaft), seit 1984 an der Universität zu Köln. Veröffentlichungen in Mediävistik, Englischer Sprachgeschichte und zum Thema Weltsprache Englisch. «Einschlägige» Veröffentlichungen: *Maccus and Maurus. Largiedd on seofon fyttum* (altenglisch) Binghamton, N. Y.: CEMERS, 1979; *The gestes of Mak and Morris* (mittelenglisch) Heidelberg: Winter, 1981. Gleichzeitig mit dieser Ausgabe erschien eine Sammlung mit Nachdichtungen des *Max und Moritz* in deutschen Dialekten (Görlach 1982).

Literatur

Görlach, Manfred (Hg.), *Wilhelm Busch, Max und Moritz in deutschen Dialekten. Mittelhochdeutsch und Jiddisch.* Hamburg: Buske 1982.
– (Hg.), *Wilhelm Busch, Max and Moritz in English Dialects and Creoles.* Hamburg: Buske, 1986.
– (Hg.), *Max und Moritz in romanischen Sprachen.* Hamburg: Buske, 1992.

Index Translationum. Neue Reihe. Paris: Unesco, 1945-

Levý, Jiří, *Die literarische Übersetzung. Theorie einer Kunstgattung.* Frankfurt/M.: Athenäum, 1969.

Weaver, Warren. *Alice in many tongues. The translations of «Alice in Wonderland».* Madison: University of Wisconsin Press, 1964.

Weitzel, Karl Ludwig, *Wilhelm Buschs «Max und Moritz» in lateinischem Gewand,* in *Tiro* 17: 5/6–7/8, Bad Dürkheim: Beacon, 1970.

Bibliographie der *Max-und-Moritz*-Übersetzungen
ins Englische, Französische, Spanische, Italienische, Lateinische
(für die Sammlungen Görlach 1986, 1992 s. S. 159)

Englisch

1871, Charles T. Brooks
Max and Maurice. A Juvenile History in Seven Tricks. New York: Roberts, 1871; ed. (als *Max and Moritz*) H. Arthur Klein, 1962, s. d.
Ah, how oft we read or hear of
Boys we almost stand in fear of!

1874, Anonym
Max and Moritz, or: The Mischief-Making ... By the Author of «Merry Thoughts». London: Mowbray House, 1897; = *Max and Moritz. A Story in Seven Tricks*. München: Braun & Schneider/London: Myers, 1925, 1959; bearbeitet von Christopher Morley, New York: William Morrow, 1932.
We often must! 'tis sad indeed,
Of naughty children hear and read!

1914, Arundell Esdaile
Max and Moritz ... freely translated. London: G. Routledge, 1914.
How many dreadful stories we have to hear and read
All about naughty children: it's very sad indeed!

1961, Walter Roome
Max & Maurice, the story of two rascals in seven pranks. Montreal: Mansfield Book Mart, 1961; München: Braun & Schneider, 1963.
Oh, what do we hear and read
Often of a wicked breed

1962, H. Arthur Klein: nur Vorwort
in: *Max and Moritz ...* ed. H. A. K, New York: Dover, 1962.
How often must one read or hear
Of children, who should be so dear

1974, Karl E. Dietrich
Max and Moritz. Freiburg im Breisgau: Schillinger, 1974.

How distasteful is the reading
about children of ill breeding!

1974, Karl Schmidt
Max and Maurice. A story of two mischievous boys in seven tricks.
Klagenfurt: Heyn, 1974, ²1980.
Of naughty boys to hear or read
Is often very sad indeed.

1975, Anthea Bell
Max and Moritz. A moral tale. London: Abelard-Schuman. Herausgege-
ben und mit Vokabular versehen. München/Wien: Franz Schneider, 1976.
This is the tale of Max and Moritz
And those who wish to read their stories

1977, Rudolf J. Wiemann
Max and Morry. A Story of Two Boys Who Play Seven Tricks. Manuskript
1977, überarbeitet 1982.
Dear, the things one all the time
Hears or reads of kids in crime!

1979, Walter W. Arndt
Erschienen in W. W. A., *The Genius of Wilhelm Busch.* Copyright 1981
by the Regents of the University of California. Nachdruck mit Genehmi-
gung der University of California Press.
Ah, the wickedness one sees
Or is told of such as these

1981, Elly Miller
Mac and Murray. A Tale of Two Rascals, in Seven Episodes. In: Görlach
1986.
Think how frequently one reads
Of some youngsters' wicked deeds!

1983, Robert S. Swann
Max and Maurice. A Story of Two Boys and Their Seven Tricks.
Often boys can be precocious
But some of them are quite atrocious.

Französisch

vor 1908, Paul Pattinger
Zeitungsmeldung 13. 1. 1908

1952, André Thérive, frei
Max et Maurice ou les sept mauvais tours de deux petits garçons. Adapté
par A. T. Paris: Ernst Flammarion/Braun & Schneider, 1963.
Ah! Mon Dieu! que de garnements
Qui font parler d'eux trop souvent!

1950-, Frederick Dellschaft, wohl ungedruckt
Max et Moritz. Histoire de deux petits garçons en sept coups.
Hélas, en entend souvent
Récits sur les gars méchants

1978, François Cavanna
Max et Moritz, adapté de l'allemand par C.. Paris: Editions Ecole des
Loisirs, coll. Lutin, 1978, ²1980.
Ah, que les méchants enfants
Nous causent donc du tourment!

1981, Jean Amsler
Max et Maurice. Histoire de garnements en sept farces. © Jean Amsler.
Erste Publikation im vorliegenden Taschenbuch.
Que n'entend-on dire à tous vents
A propos de vilains enfants!

1982, Henri Mertz
Max et Maurice. Histoire de deux petits espiègles. In: Görlach 1992
Chacun craint l'acharnement
De nos vilains garnements!

Spanisch

o. J. Enriqueta Schrader
München: Braun & Schneider o. J.

¡Ay! cuantas travesuras de niños he leído
El uno mal educado y el otro strevido!

1959, Enrique Pérez Arbeláez
Roque y Juan, una historieta para niños en siete aventuras. Bogota,
Colombia: Iqueima, 1959.
¡Qué dolor causa tener
que escuchar o que leer!

1981, Víctor Canicio
Max y Moritz. Una historieta en siete travesuras. © Víctor Canicio. Erste
Publikation im vorliegenden Taschenbuch. Eine Buchausgabe ist 1982 bei
Ediciones Alfaguara S. A., Madrid, erschienen unter dem Titel *Max y
Moritz, una historia de chicos en siete travesuras.*
¡Ay, los niños revoltosos
suelen ser los más famosos!

1988, Asun Balzola und Felipe Hernández Cava
Max y Moritz. Una historia de dos criaturas en siete travesuras.
Madrid: Mondadori, 1988
Dicen que todo chaval
hace alguna vez el mal,

1990, Inés González und Christian Schmidt; MS
Pepe y Paco. Una historia de muchachos en siete travesuras.
¡Qué pena tener que saber
o de niños perversos leer!

1990, Rosa Enciso und Guido Mensching
Paco y Pedro. La historia de dos pillos es siete travesuras traducida por
R. E. y G. M. In: Görlach 1992.
Se han escrito tantos cuentos
sobre niños turbulentos,

1990, Mercedes Neuschäfer-Charlón
Max y Moritz.
Madrid: ANAYA, 1990, S. 7–62
¡Ay, señor, lo que hay que oír
y algunos han de escribir

Italienisch

1923, Pipo Juch
Mauricio e Maso. Birbonata in sette tiri. München: Braun und Schneider.
1923. Wieder in: Görlach 1992.
Ognun sa che fra i monelli
vi son molti birboncelli

1965, Bruno Balducci
Le sette birbonate di Cecco e Pippo. Bolzano: Tezzele (Tipo-Offset), 1965.
Nel paese di Perentola
cresce il cavolo, la bietola

1973 (?), Anonym
Max e Moritz e altri buffi personaggi, rime e filastrocche. (Collana
fantasia, Nr. 19, serie II) Milano: Bietti, 1973. Darin Seite 5–51.
Sempre ormai più di frequente
Sui bambini oggi si sente

1974, Giorgio Caproni
Max e Moritz ovvero Pippo e Peppo. Storiella malandrina in sette baie.
Milano: Rizzoli, 1974. Abdruck im vorliegenden Taschenbuch mit
Genehmigung des Verlages Rizzoli.
Di ragazzi scriteriati
eh, a dozzine ne ho incontrati

1962, ?
Vorwort, 3., 6., 7. Streich und Schluß abgedruckt in: F. Caradec, ed.,
I primi eroi. Mailand, 1962; 4 ff.
(nach S. Marx, *WBJb* 1985, 29 und 34).

1983, G. Mariani
Massimo e Mauricio. Una storia di ragazzi in sette tiri.
Bolzano: Tezzele.

Lateinisch

vor 1930(?), «Magister Nicolanus»
Max et Moritz seu Historia puerorum lepida septem jocos continens, quos
excogitavit Guil. Busch, primo latine reddidit Magister Nicolanus. Hg.
K. L. Weitzel in *Tiro* 16 : 1/2 – 17 : 3/4, Bad Dürkheim : Beacon, 1969–70.
Benevolo lectori
Hoc opus offeram

1932, Gotthold Albert Ludwig Merten
Max et Moritz, Facinora puerilia septem dolis fraudibusque peracta, ex
inventione Guilielmi Busch poetae pictorisque, in sermonem latinum
conversa a versificatore sereno. München : Braun & Schneider, 1932.
Heu funestam iuventutem !
Nullam video virtutem

1939, August Padberg-Drenkpol
Mus et Mopsus. Facinora puerilia septem a Guilielmo Busch depicta
atque conscripta, denuo Latine reddita ab Augusto P-D. Von der Buchaus-
gabe Rio de Janeiro 1939 ist kein Exemplar nachgewiesen ; Teilabdruck
(Vorwort, 1., 2. und 7. Streich, Schluß) in *Societas Latina* 8 : 1, München,
1940.
O quam sunt malefici
Huius aevi pueri

1954, Erwin Steindl
Max et Moritz. Puerorum facinora scurrilia septem enarrata fabellis
quarum materiam repperit depinxitque Guilelmus Busch. Isdem versibus
quibus auctor usus Latine reddidit Ervinus Steindl Carantanus. München :
Braun & Schneider, 1954- ; 2. Bearbeitung Zürich : Artemis, 1973 ; [3]1978.
Heu puerulos malignos !
Raro, qui laudetur, dignos

1958, Otto Schmied
Max et Moritz sive septem dolos puerorum pravorum quos depictos
enarravit. Guilelmus Busch. Latine vertit O. S. In : *Tiro* 5:12–6:12 (Dez.
1958–Dez. 1959); 2. Bearbeitung in *Alindretha* 10:3 (1964) – 14:11/12
(1967). Wieder in : Görlach 1992

Heu, de pravis pueris
Quid auditis, legitis!

1959, Ugo Enrico Paoli
*Maximi et Mauritii malefacta ab Hugone Henrico Paoli Latinis versibus
enarrata.* Florentiae: Le Monnier, 1959/Bern: Francke, 1960.
Pravis de pueris quam multa audire necesse est!
Quid non Maximus hic, quid non Mauritius audet

1961, Alexander Lenard
Maxus atque Mauritius. In *Vita Latina* 15, 97–109, Avignon, Jan. 1962
Quantum est mandatum scriptis
De inceptis et delictis!

Zu dieser Ausgabe

Der deutsche Text folgt der von Friedrich Bohne betreuten Historisch-
kritischen Gesamtausgabe, Hamburg 1959; lediglich Satzzeichen – besonders Apostrophe – wurden sparsamer gesetzt. – Die Abbildungen sind nach
der 12. Auflage der Originalausgabe wiedergegeben, meist 10% verklei-
nert.

WILHELM BUSCH: MAX UND MORITZ

In deutschen Dialekten, Mittelhochdeutsch und Jiddisch
herausgegeben, eingeleitet und mit einer Bibliographie versehen von Manfred Görlach.
178 Seiten. Ln. ISBN 3-87118-522-1.
Inhaltsübersicht: Einleitung. Max und Moritz hochdeutsch-
plattdeutsch mit allen Zeichnungen. 12 vollständige Übertragungen und 9 Textauszüge.
Zu diesem Band liegen zwei Kassetten mit den Texten in
Kölsch, Elsässisch, Schwäbisch, Bairisch, Badisch-Pfälzisch,
Züritüütsch, Fränkisch und Schlesisch vor.
ISBN 3-87118-530-2

In English dialects and creoles herausgegeben, eingeleitet
und mit einer Bibliographie versehen von Manfred Görlach.
180 Seiten. Ln. ISBN 3-87118-701-1.
Inhaltsübersicht: Preface. Text in German, English and 13
translations (six English and Scottish dialects, four creole
versions and translations into Old and Middle English and
Middle Scots)
Zu diesem Band liegen zwei Kassetten mit 5 vollständigen
Übertragungen und 8 Auszügen vor. ISBN 3-87118-702-x

In romanischen Sprachen herausgegeben, eingeleitet und mit
einer Bibliographie versehen von Manfred Görlach. In Vorbereitung.
Inhaltsübersicht: Einleitung. Text in Lateinisch-Deutsch.
10 vollständige Übersetzungen, u. a. Französisch, Spanisch,
Italienisch und 4 Textauszüge.

HELMUT BUSKE VERLAG HAMBURG